...aer el olor a ausenci...
(el pubis)

...epetidos...

eche al fuego,
eseco, ¿cómo?

...as perdidas.

...tina,

...la lumbre

...ay después.

...etea una muerte dudosa *odorosa*

...la casa.

...amenazante en...

...negro...

'seis todos pies
rrorizar el interior.
...helados en los ya helados pies
más calientes que el corazón.
...las mantas,
...una vez las
afuera y no en el interior.'
recuerdos,
...oír lo que sucede
Mejor apartar de
...aunque no traigan noticias
'apo' fondo, al 'apo'
aunque no digan nada,
'oído ruido de las olas,'
'roto'
Es deseable alejar
de su hombre.
oír
...los esquilones de las vacas,'
del pastor le...
sordo *aregado*

los dientes

para nadie en
los pendientes de azabache que
tardes
tiempo atrás.
Para nadie se calza los zapatos.
Se acicala las mejillas
por costumbre, se prende las
se estira el pelo,
y resalta para nadie la belleza
que un día disfrutara entre las s...
que mueren de frío y soledad ato...
...horquillas,

No dice adiós a las cosas,
pero se despide, por si acaso,
de la huella imborrable de dos
sobre el lecho.
La puerta abierta deja entra...
las fugitivas pavesas de la nieve
y ella cierra el postigo
tan solo para que no escapen
...gios nebulosos de su aliento.

MUJER MIRANDO AL MAR

RICARDO GÓMEZ

PREMIO GRAN ANGULAR 2010

Dirección editorial: Elsa Aguiar
Coordinación editorial: Xohana Bastida
Diseño de colección: Felipe Samper
Ilustración de cubierta: Eduardo Ortiz

© Ricardo Gómez, 2010
© Ediciones SM, 2010
  Impresores, 2
  Urbanización Prado del Espino
  28660 Boadilla del Monte (Madrid)
  www.grupo-sm.com

ATENCIÓN AL CLIENTE
Tel.: 902 121 323
Fax: 902 241 222
e-mail: clientes@grupo-sm.com

ISBN: 978-84-675-4079-6
Depósito legal: TO-270-2010
Impreso en España / *Printed in Spain*
Imprime: Rotabook S.L.

h ace tiempo encontré en el Rastro de Madrid una
vieja carpeta roja, de tamaño cuartilla. Me llamó
la atención que, entre otros puestos de libros aja-
dos y revistas deslucidas, este ofreciera fotos y postales antiguas, unas en sepia y otras de colores
desvaídos. El vendedor clasificaba su mercancía
en cajones de madera divididos en casillas, donde
postales y fotos se ordenaban siguiendo un extraño criterio: madrid, españa, mundo, puestas de
sol, dibujos, animales, adultos... Eran cientos y se
vendían baratas. Habría pasado de largo de no
haber observado cómo a mi lado un hombre mayor sostenía un montón en sus manos e iba eli-
giendo algunas, que separaba del resto.

Pronto vi que su criterio de elección era singular.
No miraba la imagen, sino que comprobaba si
estaban escritas o no. Apartaba las que contenían
algunas letras, una dirección, una firma o un se-
llo. Me sorprendió que ese hombre buscase pos-

tales usadas. Allí, en el dorso de esos rectángulos de cartulina, se escondían destellos de vida que me gusta imaginar como fuente de inspiración. Le observé un rato mientras disimulaba, pasando tarjetas al azar, sin perder de vista sus manos. Si encontraba una que tenía un largo texto escrito, la leía atentamente y la apartaba.

Con olfato de perro viejo, los vendedores del Rastro diferencian a la legua entre curiosos y clientes. Cuando me cansé de atardeceres y amaneceres y mis dedos fueron a la fila contigua, el comerciante se acercó a reordenar el montón en que yo había husmeado, como si considerase mi curiosidad una molestia para su negocio. Cruzamos los ojos apenas un segundo y percibí su mirada hostil. ¿Por quién me toma?, pensé. ¿Creerá que soy un holgazán que no sabe apreciar el valor de imágenes y palabras antiguas? ¡Más que él!, me dije.

Por un instante me sentí tentado de buscar para mí unas cuantas postales escritas, pero tuve la sensación de que sería un robo. Ese hombre había llegado primero y a él se le había ocurrido antes la idea. Le miré con envidia. ¿Quién firmaría aquellas tarjetas? ¿Desde dónde se habrían remitido? ¿Sus destinatarios seguirían vivos? ¿Contendrían importantes noticias, o eran saludos triviales de parejas, hijos, padres o amigos en viajes felices?

Pensé rápido que mi codicia era absurda. Yo no colecciono postales; en realidad, no soy coleccionista de nada. Lo que hago cuando voy por la calle, miro a alguien o leo una noticia, es buscar detalles que utilizar en cuentos o fragmentos de novelas. A veces, un nombre, una fecha o una carta dan para mucho, porque tirando de ese hilo puedo imaginar un cuento. Ese hallazgo, que es más una búsqueda que un encuentro, es lo que algunos llaman inspiración, y yo veía esas postales como un montón de grava en el que cribar.

Pero otro había llegado primero...

Caí en que esa escena era motivo de un cuento, si le dedicaba imaginación y tiempo. ¿Quién sería ese hombre que husmeaba entre tarjetas viejas? ¿Buscaría una que nunca le llegó? ¿Reconocería entre esos montones alguna postal enviada por él mismo? ¿Qué haría con ellas? El asunto prometía como semilla. Cuando muriese, sus herederos encontrarían una caja con tarjetas escritas por personas que no reconocerían y se las venderían al peso al vendedor del Rastro, lo que daría lugar a un ciclo infinito de ventas y compras, una parodia de la vida. Me di por satisfecho con ese embrión literario. Me alejé del cajón esquivando al hombre, y fui a parar a un extremo de la mesa en el que se exhibían láminas, carteles, trasnochados calendarios...

Y la carpeta.

No puedo explicar por qué esa carpeta deslustrada llamó mi atención, pero supongo que estaba predispuesto a adquirir cualquier cosa, como los compradores compulsivos que una tarde se aburren, piensan que necesitan unos pantalones, salen de tiendas y vuelven por la noche con un absurdo taco de billar. Quizá tratara de demostrarme que podía salir de allí con un hallazgo original, o tal vez quería aclarar al vendedor que no solo era un mirón. El caso es que cuando vi la carpeta la deseé y quise llevármela. Estaba lejos de sospechar que contuviese un tesoro, cuando en aquel momento me conformaba con encontrar un par de piedrecitas de colores. Podría presumir diciendo que fue intuición, pero no se trató de eso. Fue de las raras ocasiones en las que el deseo se alió con la fortuna.

La carpeta no era exactamente roja, sino de un color ladrillo virado al marrón por una indefinible suciedad antigua en la que pude distinguir huellas de unos dedos manchados de grasa y diminutas cagadas de mosca. Una esquina parecía roída por los ratones y las gomas originales habían desaparecido. En su lugar, una ancha banda elástica la recorría de este a oeste, y en su superficie se leía escrito a pluma: *Cartas. Gaspar Baraona. 1954.*

Sabía que el vendedor me vigilaba y me consideraba un intruso, así que aparenté la serenidad de un experto interesado en antiguallas. Cuando tuve la carpeta entre mis manos, me pareció asombrosamente ligera. Retiré la goma con la sensación de quien abre un viejo armario en casa ajena y sabe que va a encontrar abrigos de gente muerta. Al desplegar las solapas vi un puñado de cuartillas dobladas al centro, de papeles terrosos, mecanografiadas en una desvaída tinta negra.

Debían de ser veinte o treinta, y tuve la sensación de que hacía mucho tiempo que nadie aireaba aquellas hojas. Una colección de cartas de medio siglo atrás, imaginé.

Pensé rápidamente que aquello podría ser un material valioso, quién sabía si con nombres o anécdotas que pudiera utilizar en algún cuento. Volví a cerrar la carpeta y pregunté al vendedor cuánto pedía por ella.

Trescientos, respondió.

Me pareció un insulto. Cada postal se vendía a sesenta céntimos, y el precio de las láminas oscilaba entre uno y diez euros. Pedir trescientos euros por aquel puñado de papel viejo era una forma de expulsarme de su puesto, humillándome además. Consideré ofrecerle cincuenta, lo que me parecía ya un precio desorbitado por algo que quizá no tuviese ningún valor, y estuve a punto de marcharme, pero pensé que no tenía prisa y, sobre todo, que debía irme de allí dejando claro que no era solo un curioso. No me costaba trabajo examinar el contenido de la carpeta. Además, me fijé en que el buscador de postales tendía al vendedor el montón que había seleccionado, para que echase la cuenta. Una vez acabase con aquello, pondría los ojos sobre la carpeta que, esa sí, había descubierto yo antes.

Intrigado por saber por qué el vendedor consideraba que aquello valía trescientos euros, me calé las gafas sobre la frente, abrí de nuevo la carpeta y desplegué las cuartillas. Abrazadas entre sí, como protegiéndose de una profanación, aquellas hojas se resistían a ser separadas y me conformé con echar un vistazo oceánico a las más dóciles. Comprobé que estaban escritas por una sola cara y que el texto estaba sembrado de correcciones. Tardé en entender que se trataba de poesía, y no de cartas, como anunciaba la carpeta.

¡Un libro de poesía! Vi la página inicial, con el título y el primer verso de un poema: *1. Amanecer. Los gallos colocan la noche panza arriba*. Pero «colocan» estaba tachado; sobre esta palabra se veía «extienden», y por encima, de nuevo, «colocan». Lo mismo ocurría con «panza», sustituido por «boca». Sí, era el manuscrito de un libro de poemas. Intenté reconocer una firma que justificase el precio. (Qué idiotez, me digo ahora... Pensé en Celaya, en Otero, en Gil de Biedma... Si ese vendedor hubiese tenido en sus manos un original de cualquiera de esos poetas, no lo ofrecería allí y, desde luego, no por ese dinero. Pediría diez, cien veces más.)

Aquello me pareció más interesante que una colección de tarjetas, pero no estaba seguro de que valiese trescientos euros y, en cualquier caso, no llevaba esa cantidad encima. Doblé las hojas, cerré la carpeta con la goma y la dejé sobre el montón de revistas viejas. Lástima que sea tan cara, me dije; quizá por ciento cincuenta, o por doscientos...

Me aparté con pesar. No busqué los ojos del vendedor por no admitir que me había vencido. Fui a otra mesa, que ofrecía libros viejos, y traté de consolarme con la esperanza de encontrar a buen precio algo que compensara mi frustración, pero todo me pareció vulgar. Observé con las manos en los bolsillos, por encima de las cabezas de otros hombres que husmeaban en los montones, y me sentí vacío.

Regresé al puesto con la sensación de que en apenas ese minuto la carpeta habría desaparecido en manos de alguien más osado que yo, pero allí seguía, sobre el montón de revistas. Esa vez, la cogí como si ya fuese mía. Me dirigí al vendedor.

¿Cuánto me dijo?

Trescientos.

¿Lo dejamos en doscientos?

Trescientos.

Miré mi cartera. Llevaba poco más de cien euros.

¿Me la guarda? Voy a un cajero.

Bien.

El hombre dejó la carpeta junto a su mano, y tuve ganas de pedirle que la retirase de codiciosas miradas ajenas. Me fui de allí buscando un cajero automático. Eran cerca de las dos, algunos comerciantes comenzaban a guardar en cajas sus mercancías y pensé que en unos minutos aquel gigantesco mercadillo se desmontaría sin dejar huella. Caminé al azar, buscando sobre la multitud el logotipo de mi banco. Pregunté en una tienda y me indicaron tres calles más abajo. Saqué el dinero y volví corriendo al puesto, temeroso de que la carpeta ya hubiese sido vendida. Suspiré al llegar y verla junto al vendedor.

Pagué sin regatear y me fui con la certeza de tener algo valioso entre manos. No me atreví a abrirla en el autobús, y solo al llegar a casa volví a ver el ajado papel. Hasta ese momento no caí en la cuenta de que podía haber sido víctima de una estafa. Si el vendedor hubiese metido dentro papeles de periódico, no habría descubierto el timo hasta un par de horas después, ya demasiado tarde.

Nunca sospeché que aquella carpeta daría lugar a esta historia.

•

Lo primero que comprobé cuando llegué a casa es que el papel estaba en peor estado de lo que había notado en el primer examen. El paquete de hojas estaba tan apelmazado que imaginé que habría permanecido décadas en un ambiente húmedo, aprisionado bajo pilas de libros. De no haber sido porque estaban escritas a máquina, se podría suponer que llevaban cientos de años dobladas juntas.

Alguna vez, por capricho, he comprado un libro antiguo. Un *Quijote*, por ejemplo, editado en 1878. A través del objeto trato de imaginar las manos que lo sostuvieron: quien lo compró, quien lo leyó por primera vez, quien lo heredó, quien lo expuso en un atril o lo guardó con indiferencia en un cajón... A veces, esos libros contienen nombres, fechas y anotaciones, incluso recordatorios o postales piadosas, partículas de vida de personas que ya han desaparecido.

Durante un buen rato, esa tarde, observé la primera página de lo que suponía era una colección de poemas, sin atreverme a separar sus hojas. Aún no sospechaba lo que contenía y me contentaba con imaginar quién lo habría escrito y qué cadena de acontecimientos lo habría llevado hasta mis manos. ¿Quién se lo habría vendido al comerciante del Rastro? ¿Alguien, además de su autor, lo habría leído alguna vez? ¿Dónde habría estado guardado esos años y qué bestiecilla habría roído uno de sus bordes? ¿Qué contenían el vaso o la taza que había dejado esa sucia marca? ¿Serían huevos de mosca las pequeñísimas motas adheridas en una de las esquinas...?

Leí ese primer poema hasta que casi lo aprendí de memoria.

Me gustó la descripción de un lento amanecer, de unos gallos que parecen despertar al mundo. Me entretuve en observar el amoroso cuidado con que se habían realizado las correcciones. Y, sobre todo, intenté imaginar a la persona que lo escribió, sentada ante una máquina de escribir que probablemente sería negra y pesada.

¿Qué rostro tendría su autor? ¿Qué pensaba mientras lo escribía? ¿Soñó alguna vez con ver publicado aquel original como un libro de poemas? ¿Serían las correcciones obra de la misma persona que había mecanografiado el texto?

1.   A M A N E C E R

========================

Los gallos ~~colocan~~ la noche panza arriba,

(extienden / ubican) *(— boca)*

invocan la madrugada,

el monótono desfile del reloj.

Llaman a la luz,

ahuyentan las delicadas luciérnagas del cielo

y dan paso a los ruidos cotidianos.

~~Amanece.~~

El día invade el borde del mar

después de besar la tierra, ocupando el cuadro

de un gastado calendario.

Comencé a separar una a una las hojas...

Mientras las alzaba, con el temor de que alguna se rasgase al intentar despegarla de las demás, tomé conciencia de la extraña estructura de aquel escrito. A esos primeros diez versos seguían lo que parecían cinco poemas largos, y otro más breve a modo de epílogo. En ese primer examen confirmé lo que ya había comprobado en la primera página: el mecanoscrito había sido corregido al menos dos veces, a juzgar por las diferentes tintas, aunque parecía que por la misma mano. Me resultó imposible no leer alguna palabra suelta mientras lo hojeaba, y ya en ese vistazo general percibí que había cierta secuencia en los títulos: Amanecer, Despertar, El viaje, La ciudad, El juicio...

Conté veintiséis cuartillas, escritas por una sola cara. Me parecía milagroso que hubieran sobrevivido tantos años. El papel era de ínfima calidad, las hojas parecían haber sido dobladas hacía mucho y las interiores casi se deshacían por el centro. Si alguien las leyó en las últimas décadas, no dejó sus huellas: aparte de las correcciones del texto, solo había una anotación, la fecha 7-2-1954, escrita a lápiz en la primera página. El año coincidía con el que rotulaba la carpeta. ¿Fue cuando se escribieron esos versos? ¿O cuando alguien los recibió? ¿Sería el autor de los poemas ese tal Gaspar Baraona?

Debo confesar que tras ese primer examen me sentí decepcionado. Había pagado trescientos euros por una carpeta que probablemente no contenía más que unos versos sin valor. Después de todo, ¿qué utilidad tenían para mí? Aunque fueran buenos, no iba a publicarlos con mi nombre y, como comprobé en Internet, Gaspar Baraona no era nadie que hubiera merecido una línea ni siquiera como poeta local. Ese nombre solo aparecía como un personaje marginal en la página 373 de unos *Apuntes Históricos* de hacía dos siglos. Aquellos papeles no debían de valer nada, y pensé avergonzado que me había dejado llevar por la codicia.

Era casi medianoche y quería madrugar al día siguiente para escribir desde temprano, pero decidí no aplazar una primera lectura de aquel montón de papel viejo.

Cinco o seis páginas, me dije.

No sospechaba que aquella noche no lograría dormir.

Comencé a leer con desgana, y a medida que avanzaba me sentí intrigado tanto por el estilo como por el contenido. Cuando llegué a la página 8 me di cuenta de que tras esa apacible descripción de un amanecer se contaba una dramática historia protagonizada por una mujer, una tal Elena, que quizá fuese la escritora. Y a medida que comprobé que se trataba de una narración, de un impresionante relato, contado en forma de poema, la lectura me fue atrapando cada vez más.

Porque no se trataba de siete poemas aislados como al principio creí, sino de un único poema dividido en siete secciones. Una vez sobrepasado el primer tercio, no pude dejarlo pese a que las correcciones entorpecían la comprensión del texto. Casi al final de la lectura el argumento me estalló en la cara: una mujer confiesa haber asesinado a su marido, de quien está profundamente enamorada, y es juzgada por ello. La condena era extraña, casi un perdón. Al final, leí tan vorazmente que me pareció que la narración acababa de una forma brusca y desasosegante.

Cuando acabé esa primera lectura, estupefacto, me levanté de la silla y sostuve temblando la colección de hojas sucias. ¡Aquello parecía mucho más valioso de lo que hubiera podido suponer!

Me preparé un café y decidí volver a leer el poema. Lo hice despacio, tratando de obviar las correcciones e intentando desvelar el significado de aquellos versos. Entonces tomé conciencia del profundo patetismo de la historia. En efecto, una mujer es acusada de haber asesinado a su marido, de matarlo cuando ambos son jóvenes, y sanos, y se aman, y podrían intentar ser felices. La mujer no niega su crimen, los amigos de la pareja no podrían reprochárselo y unos jueces severísimos no la castigan por eso… ¡Un dramático y extraño crimen de amor! Se trataba de una terrible confesión, lo que hacía comprensible que aquellas páginas no estuviesen firmadas.

Pero no fue hasta el final de esa segunda lectura cuando caí en la cuenta de que tal vez el poema estuviera incompleto. No es que acabase de una forma abrupta, sino que quizá faltaba el final. Y aunque el capítulo 7, escrito como un lamento en forma de epílogo, no parecía añadir nada relevante a la narración, me irritó entonces que el vendedor no me hubiera advertido de ello. Mi pequeño tesoro estaba amputado, como esas estatuillas a las que les falta la mano o una porción de pie. Observé la última página. Una gran mancha se extendía por su reverso y había difuminado las tintas. Lo que seguía quizá había sido destruido para siempre. Me entristeció y me encolerizó no acabar de escuchar *la voz* que contaba esa historia.

Pura rabia por no saber más.

•

Insomne, leí varias veces el capítulo del juicio, el quinto. A medida que lo hacía trataba de imaginar la sala, el riguroso aspecto del tribunal, los testimonios que la acusaban y, al final, la sorprendente sentencia de los magistrados, acatada sin protestas por la mujer.

Una terrible escena arropada por declaraciones de apasionado amor en las páginas previas y en las siguientes.

5. EL JUICIO
=====================

Es un jueves.
(¿Qué importancia tiene que lo sea
para quien un jueves no se juega su destino?)
Es doce y es noviembre
de mil novecientos cuarenta y dos.
(Es el día tan temido.)
Penetra el frío por las llagas
de las puertas de la sala desvalida. *desastrada*
Los severos muros de piedra,
desnudez
la miseria
obscena de las paredes, tan solo interrumpida
por un crucifijo y el retrato del Odiado,   *¡infame!*
los bancos alargados,
la luz mortecina de unas anémicas bombillas
y los angostos tragaluces en lo alto,
acrecientan el helor del corazón.

Se constituye el tribunal.
Se quiebra el silencio de la sala.
La escena es conocida
por Elena, que sabe que no le dirigirán
una palabra de consuelo,
ni una palabra de esperanza le dirán.
No harán preguntas directas,

ni querrán saber por ella

lo ocurrido.

La justicia o la venganza, qué más da,

se establece en los informes

oficiales

y para ello no hacen falta ~~evidencias~~, ya argumentos

porque los hombres de negro, o verde, o azul

tienen ya acordada la sentencia.

Un gesto con la mano y el secretario

comienza a leer el veredicto.

¡Qué distintas las palabras oficiales

de las que ella aprendiera ante la lumbre

tras después de las tardes de amor!

¡Qué distintas las normas rutinas cotidianas

de los ~~mandatos~~ legales! preceptos

En algo tienen razón: es doce y es noviembre,

cuatro togas se han reunido para juzgar

el presunto asesinato de su hombre

y es Elena la acusada de su muerte.

Pero es cierto poco más.

Se acusa a Elena de homicidio

una noche ~~indefinida~~, entre el catorce imprecisa

y el dieciséis de abril del año en curso.

Se acusa a Elena de ocultar estos meses

su cadáver,

y de impedir probar que Pablo

fuera herido en una barca
mientras porteaba municiones
al maquis de las montañas.
Se acusa a Elena de mantener
un silencio pertinaz,
con el fin de proteger a otros culpables.
Se acusa a Elena en severas palabras oficiales
y ella asume la ~~acusación~~, condena
pues el amor es más fuerte que la razón.

Argumenta el tribunal algunos hechos:
que su marido era un ~~hombre~~ pendenciero,
individuo
agitador,
contrabandista, maleante, estafador.
Que vecinos de bien afirman que han oído
llegar a Pablo borracho de madrugada,
amenazar a la mujer.
Que ciudadanos decentes aseguran
que vieron a la mujer llorar
paseando la escarpa frente al mar.
Se atenúa la culpa de Elena en palabras oficiales
y aunque sabe que es cierto solo en parte
mantiene su silencio porque sabe advierte
que el secreto es más eficaz que la verdad.

Concluye el tribunal con su condena. cruel sentencia
Se considera culpable a Elena
de no denunciar

la conducta criminal de su marido.

Se atenúa la culpa de su crimen

por coincidir con la ley en el castigo.

Se sanciona a la mujer con el destierro

por no colaborar con la justicia

y se le dan diez días, a fin de organizar

su partida del pueblo.

Es la decisión en palabras oficiales

y aunque Elena considera infame la sentencia

guarda silencio, porque sabe

que a veces las palabras son peores que el coraje.

Termina el secretario su lectura

y abandonan la sala los togados.

Quedan solos la mujer, el abogado

y el frío helador de la mañana.

Se felicita el hombre por la condena

que considera ~~leve~~ indulgente para los tiempos

que corren.

Se despiden.

Sale Elena del juzgado tanteando pasillos

y escaleras,

se cruza en el camino

con hombres esposados y añora la presencia

de un abrazo masculino que desagravie

sus meses de tristeza.

Pisa la calle y no sabe qué hacer con el tiempo

insospechado. inesperado.

No había negado la muerte de su hombre

y se sorprende

al pasear de nuevo libre la ciudad,

gris entre gris.

e sa noche me hice preguntas que luego me he re-
petido cientos de veces: ¿quién y cuándo escribió esos versos? ¿Habrían existido Elena y Pablo?
¿Encontraría a alguien que pudiera corroborar si
lo contado era un hecho real? ¿Dónde habría podido ocurrir esa historia? De ser cierto lo narrado,
¿seguiría viva esa mujer? ¿Y el narrador...?

... O la narradora. Porque tenía la sensación de
que aquellas líneas habían sido escritas por la
propia Elena.

El poema se convirtió en una obsesión. Fuera ve-
rídica o no, la historia adquirió una fuerza que em-
pañó otros proyectos. Resultaba imposible des-
deñar el diamante en bruto que el azar había
llevado hasta mi escritorio. La historia de una mujer que mata a su marido por amor. O la novela
sobre alguien que escribe un poema en el que se
cuenta cómo, por amor, una mujer mata a su marido. Tanto daba.

Asumí lo inevitable y me propuse transcribir el texto al ordenador, incorporando correcciones y eliminando erratas. Tuve la sensación de que, mientras lo hacía, privaba al poema de parte de su alma. No era solo el texto, sino las huellas dejadas por la persona que lo redactó, la presión de las teclas, las tachaduras, las dudas que se adivinaban en las correcciones... Al cabo de dos días obtuve una versión limpia que pude leer en voz alta como en ocasiones he hecho con obras de Darwish, de Poe, de Kavafis... También encargué una copia en color del original y guardé las hojas viejas en fundas transparentes, para manejar el facsímil sin temor a que mis dedos o un accidente dañaran el papel antiguo.

Entretanto, tomaron cuerpo dos propósitos. Uno, intentar publicar el poema, aunque no sabía si tenía el suficiente valor literario. El segundo, utilizar esa narración como germen de una novela.

Ninguno de esos dos proyectos era simple. Me parecía inmoral publicarlo sin haber intentado localizar a la autora de ese escrito, o a sus descendientes, si es que los había. Por otro lado, ¿bajo qué autoría podría aparecer? Imaginé «Elena de Pablo», pero dejando aparte los aspectos legales, incluso eso no sería justo con la persona que lo escribió: ¿ella querría hacerlo público?

Intuía que responder esas preguntas pasaba por realizar un viaje que debía preparar bien. Ahora que ha transcurrido el tiempo y conozco algunas respuestas, adelanto que si la autora sigue viva o aparecen sus herederos, harán bien en reclamar los derechos de autor de al menos la mitad de este libro. Aunque custodio esas páginas ajadas, no las considero mías.

•

Utilizar aquella historia como semilla para escribir una novela resultaba prometedor. La idea era original. Una mujer es juzgada por dar muerte a su marido, pero es exculpada en el juicio porque el asesinato coincide con los intereses de los jueces. Se condena a la mujer a una pena menor, no por ese crimen sino por ser enemiga de quienes la juzgan. Este retorcido sentido de la justicia, al término de nuestra guerra civil, resultaba novedoso. Si lograba recrear el ambiente de la época e imaginar algunos personajes alrededor de esos escalofriantes sucesos, tendría el embrión de una novela. No perdería mucho intentándolo.

Pero para abordar el trabajo debía determinar si la historia era cierta o no, lo que me llevaba de nuevo a la necesidad de buscar el lugar en el que pudiera haber ocurrido aquello, un viaje que no podría realizar hasta pasados dos meses. Pensé que era un tiempo oportuno para recrear el personaje y documentar el escenario.

Leí el poema decenas de veces. En ocasiones utilizaba la versión corregida en el ordenador. Otras, el original, observando con una lupa el relieve de la máquina de escribir, las tintas difuminadas, las manchas, las correcciones. Lo único claro era que *alguien* había mecanografiado ese texto muchos años atrás. ¿Habría sido la propia Elena, la protagonista? ¿O tal vez otra persona que tuviera noticia de esa historia? ¿No sería todo una mera ficción y yo confundía la materialidad del papel con un cuento imaginado por alguien que, como yo, se dedicaba a inventar fábulas?

Fuera real o imaginada, en la atmósfera del poema había más que una historia verosímil. Tras el desgranado melancólico de unos sucesos se escondía una estremecedora historia de amor: la de una mujer que ama tanto que es capaz de asesinar a su marido para evitarle una muerte ignominiosa a manos de sus verdugos, y que se confiesa culpable de ese crimen. ¿Quién sería aquella mujer que había amado tanto? ¿De qué lugares de su alma herida habría extraído la energía necesaria para confesar aquellos sucesos sin que su mano temblara ante el papel, si es que ella misma había escrito esas páginas, o, si no había sido ella la autora, para conmocionar tanto al narrador?

Y si aquello no había sido real, ¿quién había imaginado a esa Elena de ficción y la historia de amor que protagonizaba?

¡Cuántas veces habré leído el segundo capítulo, tratando de poner rostro a aquella mujer, de imaginar la casa en que se despierta el terrible día del juicio!

2. DESPERTAR

Es un jueves.
(¿Qué importancia tiene que lo sea
para quien el jueves no se juega una muerte?)
Digamos que es jueves,
es conveniente,
por situar el escenario
del tiempo.
Precisemos que es un jueves de noviembre,
    el doce,
de mil novecientos cuarenta y dos.
Expliquemos también,
por nombrar el mobiliario
del paisaje,
que la casa está fría y desolada
    por la ausencia;
que, afuera, las pisadas comienzan a hollar
    sobre la nieve;
que, más lejos, el mar se ahoga en la neblina,
y que noviembre se disfraza de enero,
o de febrero,
meses terribles en los que el frío
hace amarga la soledad,
dolorosos los sabañones
del alma.

En la penumbra,
ya no oscuridad, pero tampoco madrugada
(sigamos describiendo el decorado),

ni siquiera con esfuerzo se divisan,
y poco importa,
la silla desvencijada, la cómoda abatida,
el esqueleto de la lámpara que se ahorca
        en el techo,
la percha que contiene las fundas
        de un cuerpo
desganado por vivir.
El vaho de los cristales
enmascara la fría luz de un jueves lastimoso
porque es jueves ya,
y el doce de noviembre.

Es necesario ahuyentar los sueños
que evocan lejanos tiempos
de deseos.
Mejor escuchar los esquilones de las vacas,
las voces del pastor,
el apagado ruido de las olas, al fondo,
aunque no digan nada,
aunque no traigan noticias
de su hombre.
Es deseable alejar recuerdos,
oír lo que sucede afuera y no en el interior.
Mejor apartar de una vez las mantas,
sentir los dientes del suelo en los ya helados
        pies,
no más calientes que el corazón.

Los ritos obligados
(desnudarse, llenar la palangana,
y esconder el olor a ausencia en los senos
y en el pubis)
evocan gestos repetidos con amor
cuando él estaba
(atizar el fogón, arrimar la leche al fuego,
consagrar el tazón con pan reseco,
celebrar con risas la mañana),
pero que ahora
son solo espectros de madrugadas perdidas.
Se desayuna tan solo por rutina,
y no se alimenta la lumbre
para luego, porque no hay después.

Es jueves, es doce
y es noviembre, y aletea una muerte dudosa
en los rincones de la casa.
Espera otra muerte amenazante
    en la ciudad,
donde hombres de negro esperan
dictar sentencia.
Y Elena se levanta de la silla, venciendo
    un cuerpo
que preferiría dormirse con las brasas
pero que asume
su papel, tan solo por su hombre,
o quizá tan solo por su nombre.

No hay testigos ahora
de la desnudez estéril de su cuerpo.
Se desnuda y se viste para nadie,
para nadie en realidad se cuelga
los aretes de azabache que él le regalara
tiempo atrás.
Para nadie se calza los zapatos.
Se acicala las mejillas
por costumbre,
se estira el pelo, se prende las horquillas,
y resalta para nadie la belleza
que un día disfrutara entre las sábanas

que mueren de frío y soledad atormentada.

No dice adiós a las cosas,
pero se despide, por si acaso,
de la huella indeleble de dos cuerpos
sobre el lecho.
La puerta abierta deja entrar
las fugitivas pavesas de la nieve
y ella cierra el postigo
tan solo para que no escapen
los vestigios nebulosos de su aliento.

No mira atrás, ni saluda en su camino
a los escasos paseantes que compadecen
y temen su dolor.

Cuanto más leía el poema, más me inclinaba a otorgar una existencia real a Elena y a pensar que merecía la pena buscarla, a sabiendas de que podía estar tan ofuscado como el lector obseso que persiguiera las huellas de Emma Bovary o Dolores Haze. Me decía que, de ser reales, aquellos sucesos eran tan impactantes que no sería difícil encontrar a alguien que pudiera tener noticias de ellos. Y si no, ¿qué perdía? Después de todo, el viaje me sería útil para ambientar la novela que pretendía escribir alrededor de esos hechos.

Aunque a veces no era tan optimista. Cabía la posibilidad de que el paso del tiempo hubiera borrado cualquier rastro; aquella mujer, de ser real y seguir viva, podría tener más de noventa años, y era posible que ni ella ni quienes la conocieran guardasen más que sombras de su pasado. En el poema no había ninguna referencia a lugares, y tan solo contaba con una fecha y unos nombres que podrían ser inventados.

No era apenas nada. La carpeta no me parecía una pista valiosa, a pesar de que el nombre fuera tan concreto. Anunciaba *Cartas*, y era evidente que la letra que la rotulaba era muy diferente de la del poema; probablemente entre el poema y la carpeta solo había un nexo accidental.

En las *Páginas Blancas* se puede comprobar que Baraona es un apellido poco común, disperso en unas pocas provincias del país. No me llevó mucho tiempo hacer algunas llamadas, con resultados infructuosos: nadie recordaba a ningún antepasado próximo con el nombre de Gaspar. Supuse que la carpeta y el poema eran piezas de investigación no necesariamente conectadas.

El poema hablaba de un pueblo de la costa. Me aferré a la idea de que en su inicio había unos versos significativos:

El día invade el borde del mar
después de lamer la tierra, ocupando el cuadro
de un gastado calendario.

Tras leer el poema completo pensé en algún lugar del norte próximo al mar, lo que abarcaba un extensísimo arco que iba del sur de Pontevedra al este de Guipúzcoa. ¿Y en qué lugares el sol *lame* la tierra antes de *invadir* el mar? La intuición me hacía pensar en el poniente de la costa gallega. Por otro lado, el «gastado calendario» hacía referencia al «noviembre del 42» mencionado en los versos. Si, como se narraba en el escrito, había habido un juicio, alimenté la esperanza de que no debería resultar difícil encontrar viejos legajos en los juzgados de esa zona. Además, un suceso como ese podría haber dejado huellas en la memoria de las gentes del lugar.

A comienzos de julio preparé una maleta, decidido a explorar la costa gallega, desde A Guarda hasta Ferrol.

III.

C arezco de cualidades detectivescas. En películas y novelas aparecen personajes dotados de extraordinarias habilidades para seguir pistas, interrogar sin despertar sospechas o atar con inteligencia cabos sueltos. Nada de eso tiene que ver conmigo. No sabía por dónde comenzar y me imaginaba yendo a algún juzgado o a un ayuntamiento y preguntando directamente: ¿oyeron hablar de una pareja, Elena y Pablo, él quizá tipógrafo en algún periódico antes o durante la guerra? Su mujer confesó haberle asesinado. ¿Tienen noticias de un juicio contra ella, celebrado en noviembre de 1942...?

Dos nombres y una fecha eran muy poco, pero confiaba en que tarde o temprano, preguntando acá y allá, rebuscando en juzgados y rebañando alguna hemeroteca, daría con algo sustancioso. En mi chata imaginación policial, me vi manteniendo una charla junto al fuego con algún testigo directo de aquellos sucesos, con mi grabadora y mi libreta, después de que alguna pista feliz me llevase a una aldea. ¿Y si la protagonista de aquella historia siguiera viva? A veces me dejaba llevar por esta jubilosa posibilidad.

Había trazado en mi mapa un itinerario que recorría la costa de sur a norte. No tenía prisa. Mi única limitación eran los mil euros que había destinado al viaje, y me propuse estirarlos lo bastante como para dedicar al menos un par de semanas a ese propósito.

Comencé por los alrededores de A Guarda...

Si las pistas sobre los personajes eran escasas, las que permitían situar la historia en un lugar concreto eran nulas. No aspiraba a dar, al menos directamente, con la aldea en la que habían podido ocurrir aquellos sucesos. Cualquier pueblecito situado a escasa distancia del mar habría sido un escenario verosímil, y eso incluía cientos de lugares situados a lo largo de las costas atlántica o cantábrica. Mi decisión de comenzar por el sur de Pontevedra había sido meditada antes de salir de casa: allí estaban Camposancos, San Simón y Figueirido. Se trataba de tres sitios a los que hacían referencia muchas páginas que había consultado en Internet, así que decidí visitarlos.

Camposancos es una finca de altos muros que en su momento fue una universidad jesuita. Próxima a la desembocadura del Miño, sus edificios, patios y tierras se convirtieron en cárcel para cerca de tres mil presos desde 1937, uno de los más extensos campos durante la guerra y la posguerra. El mauthausen español, se le denominó. Allí comencé a tirar de hilos que, suponía, podrían llevarme a saber del juicio de Elena. Encontré datos que me parecían relevantes como, por ejemplo, que los prisioneros primero eran juzgados en Gijón y Oviedo, y que después se establecieron tribunales militares en Vigo, Pontevedra y Orense.

Por el delito que se imputaba a Pablo, más que a Elena, supuse que el tribunal que había juzgado a la mujer sería militar. Durante los primeros días tuve la esperanza de dar con un sótano polvoriento en el que hojear antiguos legajos, actas y resoluciones de ese lejano juicio.

Las tres únicas huellas martilleaban en mi cerebro antes de dormir y en cuanto me despertaba: Pablo, Elena, noviembre del 42. Se convirtieron en una obsesión.

Tenía previsto que mi primera parada fuera breve, pero me entretuve cinco días por los alrededores, en un laberinto de pueblecitos y caminos. Los nombres que aparecían en mi poema eran solo posibles, pero los que leía y fotografiaba en documentos o lápidas eran mucho más consistentes. Detrás de cada nombre había un rostro. Tras ese rostro, una vida y un universo propio: padres, hermanos, amigos, amantes, ilusiones, deseos... En varios momentos me sentí conmovido, como cuando en algún lugar leí la historia de un muchacho de dieciocho años que murió de un tiro en el interior de Camposancos (¿había intentado huir?, ¿fue ajusticiado en algún castigo ejemplar?) o cuando se hablaba de las mujeres del lugar que se ocupaban de lavar las ropas de los prisioneros (¿lo hacían de forma voluntaria?, ¿cómo se organizaba el trabajo de aquellos grupos de lavanderas?)

A medida que preguntaba, surgían más lugares: Cerdedo, Tui, Celanova, O Vicedo... Y, poco a poco, más nombres, más rostros que imaginar. Elena y Pablo no eran más que dos gotas en la lluvia. En mi cámara de fotos y en mi libreta se amontonaban datos, y en algunos momentos me sentí entusiasmado: mi novela sobre la posguerra tenía posibilidades de convertirse en una historia coral, un trabajo que quizá me llevase un par de años y que se alimentaría de otros viajes, otros nombres y una infinidad de pequeñas anécdotas. Como esperaba, el poema se había convertido en una productiva semilla.

Podía centrar mi atención en alguno de esos lugares. Pero también podía, por qué no, construir una aldea o una parroquia imaginaria, uno de esos sitios como Celama o Comala, que hicieron célebres otros autores. Disfrutaba de los primeros pasos de la creación, cuando el escenario está aún vacío y se tiene libertad para escoger. ¿Elegiría un lugar grande o reducido? ¿Escribiría una historia que afectara a muchos personajes y que transcurriera en un tiempo limitado, o más bien una dilatada en el tiempo pero con un número reducido de protagonistas? ¿Con personajes reales o inventados? ¿En escenarios visitables o en otros imaginados…?

Solo tenía claro algo: la novela transcurriría en la inmediata posguerra, entre dos y cinco años después de aquel abril de 1939.

•

Necesito, cuando escribo, tener una visión fotográfica del espacio en el que transcurre la historia. Lo mismo me da si elijo un escenario real que si decido inventarlo. No puedo sentarme a escribir hasta que no sé, por ejemplo, cómo es la casa en la que viven los personajes, cómo son las habitaciones y sus muebles, y cómo y de quién son las casas contiguas. Necesito conocer las distancias entre lugares, las cuestas y montes que los protagonistas van a recorrer. También, por supuesto, me impongo conocer la vegetación, el clima del lugar e incluso, según circunstancias, la fase de la Luna en tal día y a tal hora del año.

A veces tomaba el coche y visitaba una aldea o ascendía a un monte. Trataba de empaparme del paisaje, los olores y los ruidos a cada una de las horas del día y, según los casos, hacía fotos o tomaba notas. Tenía en cuenta que mi historia se situaría varias décadas atrás y que la línea del mar o el perfil de los montes no habría cambiado en ese breve lapso de tiempo, pero ¿y los pueblos y sus carreteras? ¿Y los campos, los vallados, los abrevaderos y prados donde se erguían los almiares?

Mientras conducía o me detenía en algún otero, trataba de imaginar cómo eran los paisajes y las aldeas cuarenta o setenta años antes. Intentaba borrar las cintas asfaltadas de las carreteras, las torres de alta tensión, los espigones de los puertos, las antenas, las señales de tráfico, los parques infantiles y las modernas urbanizaciones... Sobre aquel paisaje descarnado superponía recuerdos de mi infancia y detalles extraídos de antiguas fotografías: desconchados caminos, ruidosos y lentos autobuses, carros tirados por bueyes, campesinos con toscos trajes de faena, mujeres llevando cántaras en la cabeza, estaciones de tren ennegrecidas por la carbonilla...

Pero para entender aquella época, a esa postal primitiva y levemente romántica había que superponerle un par de elementos que convertían aquellos escenarios en algo desasosegante y sobrecogedor: el odio y el miedo.

•

Tantos años más tarde de aquellos oscuros tiempos, la *Longa Noite de Pedra*, como se denominó la época de la guerra civil, la posguerra y el período de represión vivido en Galicia, seguía extendiendo su sombra sobre la conciencia y la memoria. Al poco de comenzar mis pesquisas, descubrí que un extraño que hiciese preguntas directas, dispuesto a anotar en una libreta nombres y fechas, estaba condenado a la maldición del silencio. Las pocas personas que se atrevieron a hablar lo hicieron como si cargaran con alguna culpa, y las escasas veces que pude acceder a algún archivo comprobé desalentado que muchos expedientes se habían destruido y que los pocos que se habían salvado estaban en manos de personas con más motivos que yo para rescatarlos del olvido.

Me convencí de que encontrar la pista de Elena y de Pablo iba a resultar improbable. Si sesenta años después de acabada la guerra el silencio aún cosía los labios, era posible que quien entonces escribiese esas páginas utilizase nombres falsos. Alguien que ayudaba a los maquis necesitaba estar protegido por el anonimato, en un momento en que ser sorprendido con armas en la mano, realizar cualquier acto de resistencia o no obedecer al llamado de la fuerza pública suponía ser ejecutado sin formalidad alguna.

Buscaba alojamiento y comida fuera de los circuitos turísticos. Deseaba estirar lo más posible el dinero, pero sobre todo quería habitaciones en las que respirar un ambiente de sesenta o setenta años atrás, y en algunas ocasiones encontré camas de hierro, bombillas con vatios de menos, *faladoiros* bajo ventanas con cuarterones, ollas de cobre sobre trébedes en las chimeneas, mesas con infinitas capas de barniz...

Muchos detalles de casas o de pequeños bares me permitían imaginar a ancianas guisando en las cocinas, a hombres jugando a las cartas ante gruesos vasos de vino, a parejas haciendo el amor en la oscuridad y bajo pesadas mantas por espantar el frío, a jóvenes casaderas charlando mientras cosían y veían llover tras los visillos... Y vacas, y caracoles, y perros. Y los olores de la tierra mojada, del heno, del pan caliente, de las boñigas, del sudor, de patatas con berza...

Solía pasear al atardecer por el borde del mar. Buscaba lugares solitarios y alejados del bullicio. En ocasiones tomaba sendas que partían de pequeños puertos y recorrían vías casi borradas por la vegetación, imaginando paisajes que hubieran podido contemplar los ojos de Elena. Me colocaba tan cerca como podía del borde de un acantilado y, allí sentado, escuchaba el ruido del agua sobre la piedra. A veces sobrevenía un súbito silencio, en el que ni siquiera se oían los motores de las barquichuelas que regresaban tras la jornada de pesca. Era en esos instantes cuando me parecía escuchar los pensamientos de la mujer, su angustia y su desesperación.

Llevaba siempre conmigo la transcripción del poema y una copia en color de las páginas originales. Una tarde de especial calma, tras una plácida puesta de sol, sentado al borde del mar, extraje de la mochila la última hoja, con el lamento de Elena después del juicio. Traté de reconstruir, como en otras ocasiones, el ambiente en que podría haberse escrito ese fragmento...

Elena está sola. Ha perdido a su hombre, como ella misma repite tantas veces, que es mucho más que perder su corazón. Ella lo ha matado, y espera ser condenada. Pero los tribunales se burlan de ella. La han derrotado, le permiten seguir viva. De los jueces son la vida, la muerte y el escarnio. Solo ha sido penada con el destierro, que es tanto como decir con el alejamiento de su amor, para que toda su existencia lamente su pérdida. ¡Pero la mujer se rebelará contra esa humillante sentencia! ¡Acabará por vencerlos, como hizo su marido! Se despide del mar que tantas veces arrulló las noches de amor con Pablo. Guarda en una maleta unos pocos recuerdos y emprende viaje. ¿Pero hacia dónde...? ¿Y si hubiera sido ese mar su destino final? ¿Y si hubiese decidido inmolarse en el mismo lugar en el que quitó la vida a su marido, entregando al océano los recuerdos que los unieron?

Incluyéndose ella.

Caí entonces en la cuenta de un detalle que me había pasado inadvertido. Era la única página que carecía de correcciones. ¿Por qué? ¿Es que no había tenido ocasión de hacerlas? ¿Había esperado a la sentencia para escribir, el mismo día, ese lamento final? ¿No había habido un *después* para ella, como afirmaba en el poema? ¿Y si hubiera decidido desaparecer justo en el paseo de esa última página, y lo que yo perseguía era solo un fantasma?

Lloré pensando en Elena.

Y dejé que el viento se llevara esa hoja emborronada.

7. E L   M A R

================

Sobran diez días de los diez para el destierro.

No hay más que preparar una maleta

con tres o cuatro cosas:

un atado de libros escondidos

debajo de un colchón, sus pobres ropas,

alguna dirección y unos pocos testimonios

de tardes consumidas con pasión.

Echa el postigo

tan solo para que no se di ide

la huella inolvidable de su al to.

No mira atrás, ni se despide de una casa

poblada de rincones sembrados con l os.

Camino de la p ya,

entona una vez más su monótona oración.

Ay, amor,

si nunca volvieras a mi lado,

descendería de un ito la altura de la escarpa,

me prendería entre las hojas de la higuera,

caminaría el fondo del mar...

Ay, amor, si nunca regresaras

entonaría mi última canción al lado de las rocas,

me dejaría morder por las gaviotas,

me haría liviana ante el viento enfurecido,

convocaría al rayo con mi voz...

Aquella noche no pude impedir que acreciera mi sospecha de que Elena podría haber muerto poco después del juicio. De haber sido así, parte de mi viaje carecía ya de sentido. Sin embargo, continué más al norte, como tenía previsto.

La isla de San Simón, en la ría de Vigo, es tristemente célebre por haber servido de cárcel entre 1938 y 1943; albergó hasta dos mil doscientos presos y algunos de ellos solo salieron de allí para ser tiroteados en las cunetas, aunque otros muchos acabaron como trabajadores forzados. De otros penales parecidos salieron batallones de esclavos hacia las minas de wolframio de O Barbanza o el aeropuerto de Labacolla. Por doquier, si se sabía dónde preguntar, emergían noticias que hablaban de aquellos tristes tiempos.

Las notas en mi cuaderno crecían día a día: nombres, fechas, lugares, direcciones, listas de propósitos, teléfonos de contacto, anécdotas... Llegaba cansado a los hoteles, pero tras la cena solía dedicar un par de horas a ordenar impresiones y a documentar ciertas fotos, pues en ocasiones hacía decenas de kilómetros solo para encontrar una lápida en un lugar que no tenía nombre. A medida que pasaba el tiempo veía más factible una novela que tratase de aquellos acontecimientos y que seguiría teniendo como hilo conductor lo ocurrido con Elena y con Pablo, aunque continuaba sin tener un dato que confirmase si lo narrado había sido cierto o no. Pero me decía que tras los muchos nombres que atesoraba en mi libreta se escondían las claves suficientes como para esbozar una larga historia. Tiempo habría más adelante de consultar archivos o incluso de hacer otros viajes.

A pesar de todo, me sentía ansioso. El tiempo se agotaba, el dinero decrecía y yo seguía sin un rastro acerca del poema, sobre cuyos protagonistas preguntaba ocasionalmente, sin recibir más que un gesto de extrañeza. Me consolaba pensando que entre aquel piélago de datos lo narrado podría aparecer como una historia marginal, algo que se cuenta envuelto en la bruma épica de aquellos tiempos. El Cuerpo de Guerrillas de Galicia y León se constituyó en octubre de 1944. ¿Abastecería Pablo de armas a los embrionarios grupos de resistencia, quizá llevadas desde Portugal...? Podría ser...

•

A medida que avanzaba caía en la cuenta de lo sencillo que resulta olvidar. Si no hay preguntas, no hay que dolerse por viejas heridas.

Mi empeño por desvelar la posible verdad de unos versos era comparable a remar contra el viento. Yo buscaba vestigios del pasado, pero el presente era más poderoso. Resultaba fácil dejarse llevar por la suave corriente del tiempo, descansar al sol en la terraza de un café y seguir las blandas noticias del periódico. Cualquier pueblecito que atravesaba ofrecía al viajante las mismas delicias que podían comprarse en otros muchos lugares, y era consciente de vivir en una época dichosa. Disfrutábamos del presente gracias a que otros antes habían desbrozado el camino.

¿Por qué mirar atrás? ¿Y quién tenía interés en hurgar en viejas heridas? Era mejor no preguntar.

Porque si se preguntaba...

En el vetusto cuartel de Figueirido se instaló un puesto de concentración de sospechosos. Allí llegaron, en vagones de ganado, cientos de soldados capturados tras el hundimiento de las líneas asturianas. Para muchos de ellos, fue una estación de paso hacia Pontevedra, donde se llevaban a cabo los juicios y las ejecuciones.

Visité Pontevedra. Había que remar con dolor para imaginar el pasado de un lugar hoy encantador. Era un soleado domingo y me alegré de que las oficinas de información que aparecían en mi libreta estuvieran cerradas. Me dejé llevar sin resistencia por el dulce discurrir del día. Paseé por las calles y plazas y leí en una terraza apacibles noticias de periódico.

Solo después de abandonar la capital, en la habitación de un vulgar hotel de carretera, me atreví a releer los versos en que Elena describe su llegada a la ciudad. En el poema no se decía si aquel era el lugar que yo había visitado unas horas antes. Me alegré también de que otros, antes de mí, hubieran despejado el camino bajo mis pies.

Tras leerlo, me pregunté una vez más si tenía sentido continuar mi viaje y seguir preguntando por fantasmas. ¿Sería tiempo ya de volver a casa?

No imaginaba que el final de mi búsqueda estaba muy cerca.

4. LA CIUDAD

Un gris sobre otro gris sobre otro gris
pincela el paisaje de la plaza.
Negro entre negro, las mujeres
peregrinan sus cestas bajo el hombro,
camino del mercado,
para vender o comprar escuálidas delicias
con que aliviar tristezas de pucheros.
Los rostros apagados de los hombres
disimulan su aflicción
mientras arrastran pesados carritos, fardos,
atados, liados de enseres
entre un sitio y otro
con tal de sentirse provechosos.
De vez en cuando, personas bien vestidas,
marrón sobre marrón, o azul marino
bajo negro se pasean por la calle
ociosas,
sin prisa. Se saben
vencedoras de una tragedia sin guión
    ni desenlace.

Hasta las nubes se han vestido de plomo,
gris sobre ceniza,
aprisionando la ciudad.
La ausencia de palomas, la soledad del perro
    avejentado,
la inquietante presencia de un gato

con una cuerda al cuello
delatan el hambre que se esconde con rubor.
Por lo demás, un quiosco de música callado,
el pedestal de una estatua desmontada,
los raíles de un trolebús que dejó de funcionar,
los remendados toldos,
los balcones oxidados
y el gris sobre un gris sobre otro gris
denuncian
el desgaste canceroso de la penuria
    prolongada.

Las nueve y siete
(del doce de noviembre, no se olvide)
señala el reloj de la torre.
Casi media hora para la cita,
dicen de nuevo las manillas, tiempo suficiente
para perder el tiempo en un café
donde esperar,
protegida en el silencio,
el momento temido del encuentro.
Bruno entre gris, la barra deja ver
las heridas del tiempo, e incluso si se aguza
    la mirada
se pueden descifrar
cicatrices terribles de balas disparadas
a la altura del estómago de un hombre.
Miradas masculinas se preguntan
qué hace una mujer ociosa en esas horas,

pero a ella no le importan
sus turbios ojos, ni sus ruines suspicacias.

Es triste este lugar,
triste el café con achicoria,
triste la película muda que atraviesa
     los cristales,
gris sobre otro gris,
de donde no llega más que el ruido
     de las cosas
y donde no hay voces, ni risas,
ni tampoco
juegos de niños, ni cacareos de gallinas
     tan siquiera,
ni ladridos, ni aleteos de palomas,
     ni maullidos,
ni gritos de gaviotas,
ni chirridos de los grillos.
La vida, sospecha Elena, si es que existe,
se encuentra suspendida, adormilada
     en los fogones.
La vida, lo sabe Elena, si es que existe,
se disimula
por el miedo a desvelar secretos y temores.

Los relojes de la torre se apresuran
hacia las nueve y media.
Elena se zambulle en las corrientes,
pardo entre pardo, un gris sobre otro gris.

Un edificio hermoso, llagado por banderas
    desvaídas,
se yergue en una plaza al final de un callejón.
Elena ha visto,
tiempo atrás,
la llegada hasta su puerta de convoyes
    de acusados
con las manos esposadas, entre guardianes
    de verde
que entregan su botín.
No sorprende ya el estrépito
de esbirros azuzando una cordada,
ni la afligida espera de otros hombres
    y mujeres
que, como ella,
aguardan a que alguien los oriente
    en laberintos
de un vientre que digiere detenidos,
leyes, normas, conserjes, abogados,
papeles, mosquetones,
sentencias de muerte rápida,
en nombre
de una justicia viciada, resentida y sin piedad.

El bronce del reloj
(nueve y media de un doce de noviembre)
añade un son dorado a la mañana teñida
en papel carbón.

Elena encuentra un rostro conocido
    en el vagabundeo
premioso de caminantes.
Apenas se saludan con un gesto, y la mujer
sigue los pasos del hombre, que interroga
a los conserjes,
se informa de pormenores
de una cita y recala al fin en una entrada,
sala número tres.
Los engranajes del tiempo se entretienen
en digerir uno a uno los ingredientes
que revuelven la justicia y la revancha,
mientras Elena se distrae
como otras veces en recontar
uno a uno los azulejos de la pared avejentada.

La suerte está echada.
Es tarde ya
para perderse en el crepúsculo hacia el mar,
o ausentarse sin ruido una mañana
por el filo de una navaja.
Es tarde ya
para adornar la silueta de un árbol
o medir el vacío de la escarpa.

Es demasiado tarde ya
para huir por propia iniciativa del destino.
Hombres de negro dictarán una sentencia.
Tan solo su abogado,

que tampoco conoce la verdad,
pondrá de cuando en cuando el contrapunto
a las voces severas
que no tendrán piedad.
Todo está a punto.

54

IV.

Sucedió de forma inesperada, en el bar de una pequeña aldea entre Cambados y Vilagarcía cuyo nombre no recuerdo. Pedir un vino en la barra era una excusa para trabar conversación con el camarero o con algún paisano, pero aquel día pasaban con mucho de las tres y, después de preguntar si aún servían comidas, me senté a la mesa. El hombre que despachaba en el mostrador se acercó al rato, me recitó el menú, apuntó mi pedido y se fue. Hojeaba mi libreta, con notas tomadas durante la mañana, cuando apareció una joven que dejó ante mí los platos, los cubiertos, un vaso y una servilleta de papel.

La observé marcharse hacia la cocina y volver poco después con unas vinagreras y un cestillo con pan. Entonces me fijé en su rostro. No era especialmente bonita, pero tenía una mirada vivaz y se movía con pasos elásticos entre las mesas y la cocina. Debía de conocer a algunos de los comensales asiduos del lugar, con quienes hablaba en una dulce cadencia. La observé a ratos, mientras fingía mirar por la ventana o pensar en algo profundo, con un bolígrafo en las manos y la libreta abierta. Me llamó la atención su elegancia primitiva y sencilla; caminaba erguida y era eficaz pero sin prisas. No necesitaba sonreír para mostrar afabilidad y se diría que realizaba su tarea con la pretensión de que las cosas no hiciesen ruido.

De inmediato pensé que más o menos así debía de haber sido Elena cuando se enamoró de Pablo: cabello oscuro recogido en la nuca, labios densos, barbilla marcada, pómulos carnosos y nariz recta.

¡Y quince o dieciséis años!

Hasta ese momento no había asignado a Elena rostro ni cuerpo, y esa joven parecía encajar con el aire del poema. Poseía el aspecto sereno de esas personas que no parecen demasiado expresivas, pero cuyo cuerpo se transfigura y resplandece cuando ríen o disfrutan de caricias. Supuse que aquella chica acabaría siendo una dulce amante, una cálida compañera y una madre cariñosa, como lo habría sido Elena si los trágicos acontecimientos que ahogaron su época no hubiesen truncado su vida, y la de cientos de miles de personas.

Apenas cruzamos un par de miradas y cuatro palabras, pero a partir de ese momento la joven ocupó el lugar de Elena en el poema. Nada más salir del bar, supe que mi viaje había tocado a su fin. Aquella noche, en la pequeña habitación de una pensión a una veintena de kilómetros de allí, no pude dormir tras releer por enésima vez el poema, y estuve seguro de que había sido la propia Elena quien lo había escrito. Imaginé a aquella muchacha sonriendo feliz mientras era cortejada por Pablo; con gesto reconcentrado mientras aprendía a escribir a la luz de una vela; con un brillo radiante en las pupilas mientras hacía el amor con su marido; con la mirada adusta mientras preparaba su bolso y emprendía viaje hacia la ciudad; con los puños apretados por la rabia e intentando ocultar su desprecio hacia el tribunal que la juzgaba; con una mueca de amargura mientras contemplaba el mar... ¡Y me resistí a creerla muerta! Traté de imaginarla años después, en la brevísima habitación de una casa en la que servía como criada, a la luz de una bombilla amarillenta, sentada ante una máquina de escribir (¿de quién?), absorta frente a un papel que ya entonces era añejo...

Aquella noche, en la habitación de la pensión, leí el poema tratando de ajustarlo al perfil de la muchacha que había conocido a mediodía. Me dejé llevar por el liviano erotismo de algunos versos y la imaginé enamorada de su hombre, sin papeles ni bendiciones, con esa clase de animalidad amorosa que solo es posible en las mujeres que viven apegadas a la tierra y al mar. Totalmente entregada a su hombre. Capaz de todo. Incluso de matar por él. Y de morir por él.

3. EL VIAJE

Renquea el autobús allá a lo lejos.
Salen otros viajeros ocultos de un zaguán.
No lleva más equipaje
que un bolso de charol
con cosas inservibles que los demás
hacen precisas: su carnet, los escasos ahorros,
la citación, la llave de una casa
que no cerró,
y cinco o seis cachivaches de mujer.

Poco importa el escenario transitado:
las nevadas colinas,
los campos maltrechos,
los chamizos indecentes, los deshonestos
pazos de piedra de los amos.
Elena mira el decorado, pero no ve
pasar las cosas.
Solo el mar está clavado en su mirada
y con el mar los ojos asustados de su hombre,
y ante sus ojos se pierden en la bruma
su memoria, su esperanza y su pasión.

Renquea el autobús
por senderos apenas insinuados.
¿Qué más daría, medita la mujer,
en vez de seguir el camino establecido,
despeñarse por senderos escabrosos,

estrellarse en las copas de los pinos,
o medir la oscuridad de los barrancos?
Es noviembre, el paisaje se disfraza de febrero,
y silba un viento cruel
entre las grietas invisibles del suelo de madera.
Es febrero disfrazado y la nieve disimula
la miseria
con un manto de sigilo desolado.

Resulta inevitable recordar,
por más que torture la memoria,
los prados de cuando niña
llevaba las vacas a abrevar:
los olores de la tierra adormilada,
el fatigado vaivén de las conchas
de caracoles
sobre la hierba, los humedales cubiertos
del llameante manto de las hojas en otoño.
Los once,
los doce años inocentes en que veía pasar
los días como el candoroso serpenteo
    de las estelas
de caracoles sobre la hierba.

Por más que atormenten los recuerdos,
resulta imposible no evocar
los tiempos en que Pablo
arrojaba chinas sobre el vallado de piedras,
a sus pies.

Los tiempos de esbozados pezones, de coletas,
de vellos sugeridos, de rubores
cuando el muchacho se paraba a preguntarle
lo de siempre:
–Cómo te va, oíste anoche el mar,
encontraste antes de ayer
el ramo de hortensias que coloqué
delante de tu puerta,
te vienes hoy a caminar,
te aguardo a la tarde
para robar manzanas,
me esperarás también...

Se fatiga el autobús por senderos
apenas dibujados.
Los pinos y retamas, los montes y regatos
desanudan la memoria atesorada en un rincón
desde mucho tiempo atrás.
Imposible no evocar
tardes en las que Pablo regresaba del trabajo,
convertido ya en un hombre,
y se apostaba en la valla, a preguntarle
lo de siempre:
–Te vienes conmigo a la ciudad,
bailarás en la feria
junto a mí, volverás a besarme
como la tarde aquella,
saldremos el domingo a caminar...
O a prometerle:

—Si vienes,
te regalaré unos pendientes de azabache,
te cubriré los pies de dalias, impediré que mis
    amigos
te vengan a cortejar,
te llevaré una noche a ver el mar...

Trota por fin el autobús, llegado al valle.
Huele a leña y a ciudad, y alguno que otro carro
engalana el escenario.
Se aletargan de nuevo los recuerdos.
Alborotan con parsimonia los viajeros
buscando livianos bultos
y Elena se arregla la falda
y se prepara a entrar en un espacio
    de fiereza,
donde hombres de negro traman
dictar sentencia.

Otros hombres de verde, al hombro los fusiles,
intimidan la mañana
y amenazan con sus armas la memoria.
Causan miedo,
pero resulta inevitable aplazar la cita
    del destino.

Supongo que estaba predispuesto. Ver a aquella muchacha atendiendo las mesas e imaginar a Elena con su edad cuando comenzó la guerra disolvió mis propósitos de escribir la novela que había estado macerando. La voz de aquella mujer-niña no podía pasar desapercibida en un archipiélago de ficciones.

Sucedió en aquel bar y con aquella muchacha cuyo rostro casi he olvidado, pero bien podría haber ocurrido dos días y cien kilómetros antes, observando a una anciana sentada a la puerta de una casa, o tres días y doscientos kilómetros después, viendo pasear a un niño de la mano de su abuelo.

Antes de salir de casa, y también durante mi viaje, leí o escuché historias cuyos protagonistas eran apenas niños. Algunos de los que fueron llevados a trabajar como esclavos a las minas de wolframio de Orense no sobrepasaban los catorce años. Quince tenían muchos jóvenes que se ofrecieron como voluntarios para ir a combatir en las estepas rusas. Entre ocho y doce, los miles que fueron puestos a salvo en barcos que partieron hacia México. Hubo adolescentes que cayeron bajo las balas de los pelotones de fusilamiento, y mis propios padres tenían solo trece años cuando comenzó la guerra. ¿Qué habría sido de mi padre de tener cuatro o cinco años más y haber sido reclutado por las tropas de uno u otro bando? ¿Y qué fue de aquellos niños y niñas que aparecen en las fotos de la época, aterrorizados por los bombardeos o condenados a vagar por caminos embarrados hacia un destino incierto, a veces para acabar en un campo de concentración? ¿Quiénes de ellos tuvieron ocasión de gritar su dolor, de hacer patente su denuncia? ¿Cuántas cartas, cuántos poemas dormirán en cajas de cartón o habrán sido destruidos por el fuego o el tiempo?

El personaje de mi historia había adquirido carnalidad, pero aún no había fijado detalles importantes, como su edad cuando ocurrieron aquellos acontecimientos. Comencé a elucubrar. Era posible que Elena hubiese nacido alrededor de 1920. En ese caso tendría unos catorce años cuando conoció a Pablo, dieciséis al comenzar la guerra, dieciocho cuando decidió irse a vivir con él, veintidós cuando tuvieron lugar los acontecimientos que se narraban en el poema. Es posible que este fuera escrito algunos años después, pero por esas fechas Elena era ya una mujer avejentada por el dolor.

El tiempo ha sido más benévolo con nosotros que con quienes nos precedieron. Elena formó parte de una generación anónima, sin niñez ni adolescencia, brutalmente arrebatadas por Personajes cuyos nombres sí figuran en los Grandes Libros de Historia. Elena y Pablo no eran más que dos muchachos entre los cientos de miles de niños y jóvenes cuyos nombres se han olvidado y que jamás tuvieron voz. Sus protestas de dolor merecían ser escuchadas. Aquellos papeles habían sobrevivido al moho y al olvido, y el destino o el azar los había puesto en mis manos.

No tenía derecho a ocultarlos. Debía prestarles mi voz. Incluso tenía la obligación de hablar por ellos. La historia de Elena y de Pablo debía contarse, aunque aún no sabía cómo.

•

Decidí que era tiempo de acabar la búsqueda. ¿Qué más podía haber encontrado en hemerotecas y archivos? ¿Las actas de un juicio? ¿Unas órdenes de arresto? ¿Algún testimonio? ¿Un certificado de defunción? Solo huellas muertas, papel ajado...

Permanecí un par de días más paseando por los alrededores, pero dejé de interesarme por otros relatos o por fotografiar lugares conmemorativos. Tenía más de lo que había ido a buscar: la mirada, el perfil y los andares de una Elena viva.

De esos dos días conservo un recuerdo nebuloso, imágenes fragmentarias de un viaje errático y sereno por sendas que llevaban a caseríos en ocasiones difíciles de distinguir entre los robledales y pinares que bordeaban las estrechas carreteras. Me detenía junto a higueras polvorientas, umbrías de helechos, charcas en que croaban ranas, muretes de piedra que delimitaban pequeñas huertas, tapias tras las que sonaban risas de niños, plazuelas con musgosos cruceiros... tratando de empaparme de luces, sombras, olores y sonidos no muy distintos de los que hubiera podido percibir Elena de niña o de joven. Al final de la tarde buscaba un lugar desde el que contemplar la puesta de sol sobre el mar, como solía hacer ella, y me dejaba envolver por las sombras y el frío de la noche. Imaginé a esa mujer al borde de los acantilados y me sobrecogió pensar en el delgado hilo que la ataría a la vida después del juicio, tras confesar que había matado a su hombre.

Mirar al mar no era solo hacer compañía a su hombre sino desesperar del mundo, dándole la espalda. Muerto él, esa mujer podría haberse dejado caer por algún abismo, pero siguió viviendo y escribió un poema. Tal vez solo vivió para tejer aquel poema y dejar constancia de la naturaleza irreductible de su pasión.

Olvidado el propósito de la novela, decidí escribir un relato, transportarme al pasado y reconstruir las vidas de estos dos amantes. Ser Elena, ser Pablo. Meterme en la piel de ella, en la amargura de él. Intentar entender cómo se puede asesinar por amor, inmolarse por amor y seguir vivo, incluso desesperando de la vida, por el impulso de ese mismo amor.

66

V

Una novela, un cuento, un poema... son el rastro petrificado de algo que estuvo vivo durante tiempo en un cerebro: minúsculas porciones de sangre y linfa cargadas con intenciones, pasiones, dudas y deseos que acaban por cuajar en signos. Son algo parecido a un yacimiento rico en fósiles; sin la imaginación de la lectora, del lector, es imposible reconstruir la vida en aquel paisaje.

Había pasado casi dos semanas fuera de casa. Mi cámara contenía cientos de fotografías, en mi maleta había media docena de libros y mi libreta rebosaba de notas, pero no tenía intención de utilizar nada de aquello. Me bastaba el poema y, sobre todo, la evocación producida por su lectura mientras contemplaba un atardecer o escuchaba el susurro de los árboles en un bosque.

Decidí dejar pasar unos días antes de ocuparme del relato. Me sentía saturado con la historia de Elena y de Pablo, y necesito, cuando escribo, poner cierta distancia con los personajes, dejarlos dormir.

No contaba con que hay veces en que la historia decide por ti.

Me alegró volver. Aunque había estado en contacto con mi mundo a través del teléfono y del correo, las pequeñas obligaciones se amontonaban sobre mi mesa. Por otro lado estaban la familia, los amigos, una editora que me urgía con unas últimas pruebas, un colega que me invitaba a escribir un relato para un libro colectivo de cuentos... Los pulsos de la rutina.

Atendí todo aquello e hice un par de viajes cortos, y casi sin saber cómo, transcurrió el verano. No había olvidado a Pablo y a Elena. Su historia maceraba serenamente en mi cerebro, como suelo dejar que ocurra mientras preparo la escritura de un libro. Había otro elemento del que era consciente: el relato que quería escribir se desarrollaría en noviembre, en Galicia y en la sordidez de los años 40. La liviandad veraniega hacía difícil trasladarse mentalmente a aquella época, y yo necesitaba un ambiente recogido y alejado del bullicio.

A mediados de septiembre, casi todo el mundo ha vuelto a sus ocupaciones y resulta más fácil recuperar la disciplina. Una novela y un cuento se preparan mentalmente de distinta forma, con la diferencia que puede haber entre una expedición y un corto viaje. Para la tarea que preveía necesitaba respirar hondo, situarme en el ambiente en que iban a vivir los personajes y dedicar un par de semanas de trabajo intensivo y sin distracciones.

El propósito era contar la historia de Elena y de Pablo de diferente forma, ya que no podía publicar el poema. Si Elena se había dejado llevar por la pasión, yo debía dotar a la historia de los elementos objetivos precisos para reconstruir una época y unos acontecimientos.

El poema vivió durante un tiempo en el cerebro de Elena, y mi nuevo viaje, el más esperanzador ahora, era leer entre aquellas líneas y transportarme a los instantes en que lo escribió. Ser Elena. Observar y reconstruir el paisaje emocional que recorrió en su escritura.

No me era difícil evocar a Elena escribiendo en un cuartucho, envuelta en una luz tenue. Golpeando las teclas de la máquina con dos dedos, como se deducía por la profunda huella que habían dejado los macillos en el papel. Realizando un trabajo paciente durante meses, a juzgar por el cambio de la cinta gastada a partir de la página 19. Puede que pensando cada palabra, cada salto de línea, a medida que su pensamiento enhebraba recuerdos, aunque también era posible que transcribiese un manuscrito previamente redactado.

La letra de imprenta homogeneiza lo escrito y esconde los vericuetos mentales que nos llevan a elegir una palabra o una frase. Un manuscrito, por el contrario, permite adivinar titubeos, momentos de inspiración, accesos de rabia y períodos de cansancio. El escrito de Elena no era ni una cosa ni la otra, y quizá eligió la máquina de escribir para que sus dedos no desmayaran. O tal vez le era más sencillo escribir a golpes que acariciando una pluma. Pero ahí estaban también sus correcciones manuscritas... Aunque ya las había leído muchas veces, mientras tomaba aire para contar el cuento extendí en el suelo las veintiséis hojas. Casi podía citar de memoria las enmiendas y había observado el papel como un minucioso forense. Adivinaba en qué puntos la pluma dudó y en qué otros se asomaba la furia. Ni siquiera la reproducción en facsímil podía revelarlo. Había que observar las ralladuras sobre el papel original. Y otros detalles...

¿Fue una lágrima lo que provocó el difuminado circular que se ve al final de la página 14? La mitad superior de la hoja 21 es levemente más clara que la inferior. ¿Estuvo expuesta al sol durante días en el rodillo de la máquina, quizá porque Elena estuviera enferma o de viaje? ¿Qué causó la destrucción de las últimas hojas, cómo se perdieron? ¿Qué más decía el poema? ¿Habría alguna firma al final...?

Creía más que probable que Elena (¿quién, si no, habría revelado todos aquellos detalles?) escribiese este poema una vez celebrado el juicio, quizá en su destierro (¿cómo, si no, habría accedido a una máquina de escribir, al comienzo de esos infortunados 40?). Para viajar al corazón de Elena debía tener en cuenta las últimas páginas, su confesión de asesinato, su lamento...

6. EL REGRESO

La mañana se ha gastado en un banco
   de la plaza
y parte de la tarde se ha perdido
en desvelar los reflejos
del agua entre los charcos.
El sol venció por fin al plomo, perla entre gris.
No sabe cómo está sentada ya,
y el coche se dirige inocente a su destino.
Todavía martillea en sus oídos
la sentencia ruin del tribunal:
la reprensión
por no delatar a su hombre,
el perdón
por haberlo asesinado conforme con la ley.

Trota el autobús a la salida del valle.
Los bosques y los prados,
los huertos y sembrados
desanudan la memoria encerrada bajo llave
desde mucho tiempo atrás.
Corrían por entonces vientos
menos depravados.
Resultaba sencillo entonces decir que sí
a las preguntas de él, cuando tomaba su mano
y le decía lo de otras veces:
–Vendrás conmigo,
celebraremos la mañana cada día,

haremos de la noche una fiesta entre la lumbre,
degustaré las manzanas sabrosas de tus pechos,
me perderé en tu vientre...

Ella aprendió a leer las tardes de lluvia junto
   al fuego
de los labios de él.
Ay, los labios de él,
que tan pronto leían
de un libro
como se entretenían
en cantar debajo de su falda o de su escote.
Ay, las manos de él.
Ay, su talle erguido,
sus andares impulsivos,
la gravedad de su voz, su risa, su mirada.
Imposible contener estos recuerdos,
   que brincan
como rebota el coche,
entre las piedras aún ocultas por la nieve
que está comenzando a marchitarse.

Palabras de viento fresco, fiestas con camaradas,
tardes de encuentros, canciones de alegría,
de pronto amenazadas
por una guerra
que nadie presentía.
La guerra desbarata aplazadas ilusiones,

congela hasta la llama en los braseros,
y escribe calaveras en los botones
de las flores.
El frente está lejos y no suenan en el pueblo
los ecos de los morteros,
ni el tronar de los fusiles,
pero se oyen ladridos de pistola por las noches
y al llegar el alba se descubren con miedo
los frutos
atroces de la muerte.

Ya resopla el autobús, subiendo el puerto,
ya se ahogan las escenas en la bruma
nebulosa del recuerdo.
La imprenta de Pablo es vaciada de libros
prohibidos
y se imprimen bombas
de letras dirigidas a la piel del enemigo.
Pablo asquea sus dedos de tipógrafo de día,
pero al llegar la noche se convierte
en pescador
de raras especies,
brillos de balas y metralletas pavonadas,
entre las plateadas escamas de los peces.

Y Elena recuerda las noches de duelo
cuando él se perdía entre la niebla
y se decía lo de siempre:

Ay, amor, me moriré si te detienen,
me reuniré contigo
por la hoja azul de una navaja,
decoraré la silueta de algún árbol
mediré el vacío de la escarpa...

No podía suceder de otra manera.
Acabó la guerra y dicen que llegó la paz,
pero Pablo continuó como esforzado pescador
de raras especies,
pólvora y plomo entre la plata de los peces.

No podía suceder de otra manera.
De madrugada llamaron a la puerta
     camaradas
con noticias inciertas:
la barca tiroteada,
un muerto al menos
y un hombre herido,
huido, fugitivo.
El espanto de la duda, las prisas en camisón
en medio de la noche, el corazón
desbocado camino de la playa.
La esperanza de encontrarse en la cita tantas
     veces convenida:
–Si algún día, amor,
algo horrible sucediera,
me buscarás en la cueva
que deja libre el agua cuando baja la marea...

Cabecea el autobús en la tarde moribunda.
No hay un paso entre las rocas
que no se cobre su mordisco.
No hay salto sin riesgo de estrellarse,
no hay caminos más cortos,
aunque el precio sea
acabar en el abismo.
Baja al fin el precipicio,
se asoma por el hueco,
susurra un nombre
y un gemido le responde:
—Estoy herido, amor, estoy herido,
pero no importa, amor, estoy contigo...

Tres noches seguidas haciendo ese camino,
tres noches llevándole agua dulce,
tres noches cargada con vendas,
empapada con su sangre.
Tres días soportando las visitas de los guardias,
que persiguen a Pablo y la interrogan.
Tres días aguantando los registros
en la casa, en el pozo, en el sobrado.
Tres días disimulando el miedo
de que él pudiera morirse desangrado.
Tres noches con sus días,
con todas sus horas
de angustia
y la certeza de que tarde o pronto lo hallarían.

No podía suceder de otra manera.
Ni sabe cómo está sentada todavía
y el coche ha llegado inocente a su destino.
De nuevo las calles solitarias,
las miradas recelosas de escasos paseantes
que temen su dolor.
De nuevo la casa, de nuevo las pavesas,
    la ceniza,
las brasas apagadas,
la nostalgia de sábanas
que tiritan de frío y soledad desconsolada.

No podía ocurrir de otra manera.
Ni la vida salvaría a Pablo de la muerte.
Si había de morir,
que fuera de su mano enamorada.
Si no hubiera otro remedio,
asumiría su muerte resignada.
¡Qué más le daba,
si estaba preparada
a engalanar la silueta de un árbol,
o a deslizarse en silencio por el borde
    de navajas...!

Comencé a escribir...

No me preocupaba que el poema no permitiera conocer dónde sucedieron aquellos hechos, pero sorprendía cuando se citaban con prolijidad fechas, escenarios e incluso horas. ¿Pretendió Elena borrar su rastro? Pero de ser así, ¿por qué quiso dejar constancia de esta historia? ¿Y por qué decidió hacerlo en verso, en lugar de en prosa? ¿Guardó para sí esas páginas, o tenían algún destinatario y llegaron alguna vez a su destino? ¿Qué caminos siguieron hasta acabar en la mesa de ese vendedor del Rastro? ¿Gaspar Baraona tenía algo que ver en la historia, o solo se utilizó una carpeta usada para guardarla o esconderla? Y, sobre todo, ¿por qué Elena escribió un poema?

Hay ocasiones en que se consigue crear personajes que actúan como si estuviesen vivos. Yo preguntaba a la doliente mujer-niña: ¿por qué, Elena, escribiste un poema? ¿Dónde lo guardaste todos estos años? ¿Alguien más lo leyó, o se lo leíste a alguien? ¿Tuviste hijos y estos supieron de su existencia? ¿Quién, pasado el tiempo, encontró la carpeta en que estuvo guardado y lo sacó a la luz? ¿Alguna vez imaginaste que estos versos se harían públicos?

¿Por qué, Elena, escribiste este poema, y para quién?

•

La idea comenzó a germinar como la semilla de una planta parásita: ¿Y si Elena no fuera la autora del poema…?

Ya lo había considerado otras veces, pero fue al hilo del relato cuando la sospecha tomó cuerpo. Elena aprende a leer gracias a Pablo. Él lee para ella algunas noches, junto al fuego. También él la enseña a escribir, y es de suponer que sus dedos son torpes, poco habituados a manejar un lápiz. Por otro lado, ¿hablaría ella el gallego rural que es de suponer se utilizaba en la aldea, o lo haría en castellano? El poema contiene algunas metáforas logradas, cierta musicalidad en algunas estrofas… ¿Resulta verosímil que alguien que aprende a leer después de los catorce años sea capaz más tarde de escribir un poema como ese?

Y luego estaba la última página del poema, ese lamento.

¿Por qué había pensado que estaba incompleto? ¿Por el mero deseo de seguir escuchando a esa mujer, de saber de ella? ¡No! El poema estaba acabado. Si se interpretaban literalmente los cuatro últimos versos, se duele en lo alto del acantilado, se deja caer y su cuerpo atruena contra las rocas. Se trataba de un dramático final, consecuente con la historia, pese a que me resultara terrible. Ella acaba muriendo al lado de él. No hacía falta haber leído ningún drama clásico para llegar a un desenlace como aquel.

Pero ¿y la prolijidad de detalles del poema: la casa, la sala del juicio, el paseo por la ciudad, el regreso...? ¿Cabía la posibilidad de que Elena hubiera contado esa historia a algún compañero de su marido, algún escritor de los que se acercaban a su taller de tipógrafo? Y, puestos a especular, ¿por qué no podría ser incluso su propia hija la autora de aquellos versos? Cualquiera de esas soluciones era más coherente con el resultado final: la intención de evitar algunas asonancias, la riqueza del vocabulario, el uso de la máquina de escribir...

Y todavía más: ¿Y si todo aquello no era sino el fruto de la imaginación de un escritor anónimo, ese tal Gaspar Baraona? ¿Y si todo ese constructo era solo una pieza literaria, sin base real?

Si fuera esto último, ¿qué pretendía yo al tratar de recrear aquella historia? ¿Era legítimo dar por buenos unos hechos que quizá fuesen ficticios, por más que encajasen en los sucesos vividos en la época?

Era consciente de que esta planta venenosa lo asfixiaba todo a medida que se enredaba en el poema, en el relato.

Decidí suspender la escritura. Apenas conseguía dormir.

•

Y sin embargo..., eran tan consistentes el papel, el poema...

Un domingo de otoño volví al Rastro. El cielo era lánguido y el puesto estaba cubierto por una lona, pero la amenaza de lluvia no disuadía a los buscadores de tesoros. Reconocí al vendedor y sus cajones de postales, aunque había añadido género nuevo: una pila de viejísimos ejemplares de *Blanco y Negro*, atados de periódicos con cabeceras como *El Adelantado*, *El Heraldo* o *La Gaceta*... Y también dos cajas con antiguos *singles* de vinilo, muchos sin las carátulas originales.

Llevaba conmigo la carpeta con el poema. Se la mostré al hombre y le pregunté si recordaba que la había comprado hacía unos meses. Su gesto me hizo pensar que se acordaba de la mercancía, pero no de mí.

Pagué trescientos euros por ella, ¿se acuerda?

Se puso a la defensiva y, mientras ordenaba una pila de revistas, musitó con aspereza: Esto no es El Corte Inglés. Aquí no se devuelve el dinero.

Intenté tranquilizarle: No es eso, fue una buena compra.

Aclaré que la carpeta contenía algo valioso que quería devolver a sus dueños y le pregunté de dónde habían salido aquellos papeles. Hizo un gesto con los hombros: Ni idea... De aquí y de allá, respondió mostrando la mesa.

Pero la carpeta era especial, seguí, usted sabía que contenía algo importante y por eso me pidió ese precio, ¿verdad? Quizá pueda recordar de dónde la sacó. Quiero devolvérsela a sus dueños.

El hombre me miró de arriba abajo y su respuesta hirió mi amor propio: No sé qué tenía. Papel viejo... Pero usted estaba dispuesto a pagar ese dinero, ¿no?

Al notar mi azoramiento, el hombre trató de consolarme: Pero bueno, dijo con una sonrisa, si había algo más valioso que eso, al final hizo un buen negocio. ¿Por qué quiere devolverla?

Logré romper su hostilidad, me invitó a que fuese a su lado para no estorbar el paso de los curiosos y pasé una hora en el puesto. Le confesé qué contenía la carpeta y le hablé de mi viaje, de mi propósito de publicar un relato basado en aquel poema y de mi deseo de identificar a la propietaria del escrito o a sus herederos. Se interesó por mi trabajo y yo por el suyo. Como suponía, sobre esa mesa, en otras más y en algún local de los alrededores se saldaba el contenido de buhardillas, altillos de armario, estanterías y casas enteras, huellas de tiempos pasados.

¿Siempre es así?, le pregunté mientras señalaba con un gesto a los mirones que husmeaban al otro lado de la mesa, ¿la mayoría de los compradores somos hombres?

La inmensa mayoría, sonrió; de cada cien, una es mujer; solo los hombres esperan encontrarse entre papeles y discos viejos, ellas son más sabias.

Volvimos al origen de la carpeta y cuando le precisé la fecha de compra me dio dos direcciones, pero aclaró que no me garantizaba nada porque en ocasiones eran personas anónimas las que llegaban al local, desprendiéndose de maletas viejas y de cajas de cartón repletas de libros y papeles raídos a cambio de unas decenas de euros.

Es curioso, dijo el hombre como para sí, nunca he encontrado entre esos restos billetes de banco, pero sí fotografías íntimas, diarios, cartas de amor, recordatorios de primeras comuniones o defunciones... Incluso cajitas metálicas con viejos preservativos de caucho protegidos con polvos de talco. No se lo podría usted creer.

Me ofreció que pasara por su tienda un día porque, dijo, cualquier escritor encontraría allí suculentas historias que contar.

Nos dimos la mano. Le dije que quizá...

•

Dos días más tarde fui a uno de los lugares que me indicó, en la calle Almagro. Un edificio entero había sido vaciado no solo de armarios y muebles sino también de vigas, suelos y cubiertas. La vida que una vez había bullido entre sus muros y en sus balcones había sido extirpada con eficacia y, en pocos meses, nuevos habitantes ocuparían aquellos apartamentos sin temer siquiera a sus fantasmas. No encontré forma de ponerme en contacto con sus antiguos habitantes.

La segunda visita fue algo más productiva, pero desconcertante. En la quinta planta del número cincuenta y tantos de la calle Diego de León, un piso había sido vaciado unos meses antes. Llamé a la puerta. Una mujer sudamericana, con un pequeño en brazos, me atendió amable, aunque sin descorrer la cadena de seguridad. *Los señores*, dijo, no estaban en casa y ella no podía responder a ninguna de mis preguntas, pero en la planta séptima vivía el antiguo portero de la finca. Cuando subí y expliqué el propósito de mi visita, su hija me condujo ante un hombre casi ciego, sentado en un sillón de orejas junto a un balcón desde el que se divisaban tejados próximos.

Recordó... Sí, ese piso fue vaciado aproximadamente un año antes. El edificio había sido durante décadas una finca de alquiler, pero los arrendatarios o sus descendientes fueron comprando los pisos. Allí vivían ahora los hijos de los antiguos inquilinos, los actuales *señores*, de los que me habló la criada. El antiguo *señor* había sido militar, pero murió hacía tres años; la viuda, al parecer, estaba en una residencia en las afueras de Madrid. Sí, durante muchos años había vivido con ellos una mujer, que ayudó a criar a los niños y se ocupaba de las tareas de la casa, pero falleció en los 80. Sí, *el servicio* tenía una habitación propia, porque los pisos eran grandes.

Era una mujer silenciosa, que nunca recibía visitas, aunque sí alguna carta, un par de ellas al año. ¿Cómo se llamaba, cómo se llamaba...? Sí, ¡Margarita! Eso era: Margarita... El nombre de Gaspar Baraona no le decía nada.

•

Como ya he dicho, soy mal detective. Podría haber vuelto otro día y haber visitado a los dueños del piso e intentado hablar con *la vieja señora*, si es que el Alzheimer no había hecho estragos en su memoria, para que me contara lo que recordase de su fiel criada. Uno puede intentar seguir los hilos de la realidad y, con tenacidad suficiente, aproximarse a lo que se denomina *la verdad*. Yo carezco de paciencia y de perspicacia y, además, creo que esa *verdad* es solo un aspecto de la vida.

¿Podría ser Margarita la Elena del poema? No importa y, además, ¿de qué hubiera servido saberlo? Esa mujer solitaria, soltera, que solo recibía un par de cartas al año, también habría tenido una historia que contar, que seguramente no converge en la de Elena.

Han pasado muchos años desde aquellos acontecimientos, y los protagonistas de los miles de novelas que podrían escribirse han muerto o acabarán sus días en la próxima década. Durante años fueron condenados al silencio, pero nos hablan sus huesos, sus nombres, sus fotografías y sus escritos. Incluso nos hablan las historias que pueden considerarse ficción y que tratan de ellos. Quién sabe si un día aparece alguien que recuerde que conoció a personas *como* Elena, *como* Pablo.

¡Incluso el autor o la autora del poema!

•

En ocasiones atribuimos a personas o a sucesos externos algo que ocurre dentro de nosotros mismos.

Poco a poco conseguí cortar los zarcillos que aprisionaban mi relato. Pudiera ser que Elena no hubiera existido, pero *pudo* existir. Tal vez alguien escribió ese poema pensando en una vieja historia que circulase entre susurros por los caminos y aldeas que visité. También es posible que sea producto de la imaginación. ¿Y qué? Las circunstancias podrían haberme llevado a querer saber del muchacho que murió de un tiro en Camposancos, o de cualquier otra historia encerrada en una postal manoseada o una foto raída por los años.

Me basta con saber que Elena y Pablo pudieron existir, y que entre dos amantes puede haber un pacto de amor en el que no importe la muerte porque cualquiera de ellos puede vivir en la memoria del otro.

Uno de los privilegios de quien escribe es que puede torcer la vida a favor. Quiero imaginar viva a la Elena-niña. Pensar para ella un relato que no acabe en los bajíos de un acantilado.

Darle un futuro en el que pueda enamorarse de nuevo, tener hijos que guarden memoria del amor de su madre. Quiero que envejezca con placidez. Y me gustaría, cómo no, que pudiera leer su historia escrita con otras manos.

Bastante tengo con imaginar para Pablo una muerte dulce.

A estas alturas, Elena ha adquirido la consistencia de alguien real. De un doliente personaje carnal, a quien puedo ver e interrogar.

¿Por qué, Elena, escribiste un poema?

Yo sigo imaginando a una mujer tejiendo noche a noche unos versos. Escribe a golpes porque a golpes ha vivido. Nadie más que ella sabe en realidad lo que ocurrió, así que escribe para espantar demonios, alejar el miedo, descargarse del peso del secreto y mantener viva la memoria de su hombre.

¿Y para quién, Elena, escribiste ese poema?

Para Pablo, me responde.

Y me sonríe mientras me ve escribir, mientras intento reconstruir línea a línea lo que fue su vida, leyendo entre sus versos.

VI.

La víspera había puesto el despertador para que sonase a las siete. A la hora prevista, el aparato soltó un chirrido, detenido con rapidez. Elena llevaba ya un rato observando la lechosa claridad del alba, que se colaba por las contraventanas abiertas. Había dormido con todos los sentidos pendientes del amanecer de ese día aborrecible, señalado en el calendario desde dos semanas atrás. Si fuera por ella no se levantaría nunca más, pero hacía tiempo que no vivía por sí misma. Iría a la capital otra vez, aunque quizá hoy ya no la dejaran regresar.

Se quedó aún unos minutos en la cama. No quiso evocar su sueño, aunque todavía algunas imágenes flotaban en su mente. El vaho de los cristales revelaba el frío de la mañana. Sobre el vaivén incansable de las olas pudo colgar otros ruidos familiares del despertar en la aldea: el acero de las ruedas de los carros sobre los chinarros de la calle, los perezosos esquilones de las vacas, el maullido de los gatos en los tejados... A su alrededor, en la matizada oscuridad, distinguió las siluetas de la percha, la cómoda, la silla desvencijada y el esqueleto de la lámpara en el techo. Sintió aprensión al observar los barrotes a los pies de su cama.

Apartó las mantas y se incorporó. Buscó a tientas las zapatillas y tomó el chal de la percha. Se lo echó por los hombros y salió hacia la cocina. A medida que se acercaba notó el calor del fogón. Retiró con el gancho algunos aros de la placa

y comprobó que aún quedaban brasas. Llenó el badil, echó una carga de carbón, abrió el tiro y colocó de nuevo las arandelas. Destapó el depósito del agua, vertió el agua tibia en la palangana y la llevó al baño.

Dejó la palangana en el soporte, se alzó el camisón hasta la cintura y orinó. Pudo notar el espeso olor de la orina y la calidez del líquido entre sus muslos. Luego se lavó las manos y la cara y se desnudó. Tiritando, colgó la ropa en los clavos de la pared. Humedeció en el agua una punta de la toalla y la pasó por las mediaslunas de debajo de sus pechos, los valles de sus axilas y el monte poblado de su pubis. Deseaba que nadie pudiera percibir su olor de hembra insatisfecha.

De pie, pudo ver su rostro en el pequeño espejo. Hacía tiempo que sus ojos habían perdido el brillo de la juventud, pero su piel se mantenía aún tersa. Las cejas eran espesas, como el vello de sus axilas y de su vientre, y dos pequeñas arrugas prolongaban el puente de su nariz. De un tiempo a esta parte, sus labios habían adelgazado a fuerza de no sonreír, y sus mandíbulas apretadas le conferían un aspecto duro y resignado.

Pero nada de esto pensaba frente al espejo. Su mirada era fría mientras contemplaba maquinalmente su rostro y el movimiento del peine. Se recogió el cabello con un pasador y sujetó algunos mechones salvajes sobre las sienes, aferrándolos con horquillas. Cuando acabó su aseo, vació el agua en el sumidero de la letrina, tomó el camisón y se cubrió con el chal.

La noche anterior había preparado sus mejores prendas: aparte de su ropa interior, una falda de cuadros tableada, una blusa cerrada hasta el cuello, una rebeca y, en la percha, el abrigo. A excepción de la blusa, blanca, el resto de sus vestidos eran tan grises como esa hora del amanecer.

Ya vestida, buscó en un cajón de la cómoda y sacó un juego de medias negras y unas ligas, ambas por estrenar. Las miró al trasluz, comprobando su suavidad. Luego, las enrolló y se las calzó estirándolas bien para que no quedaran arrugas. Se colocó las ligas y dio una vuelta al extremo de las medias. Por último, buscó su único par de zapatos, quitó los papeles de su interior y se los puso. No ordenó la habitación.

A la cocina llegaba ya la luz acaramelada del sol que despuntaba por los montes. No quiso prender la luz para resguardarse en la penumbra de la agresión de los recuerdos. Con la destreza que da la costumbre, se dirigió a la oscura alacena y tanteó hasta encontrar la lechera. Vertió leche en el cazo y lo depositó sobre los hierros de la placa. Colocó también sobre el fuego un pocillo con una mezcla de café y achicoria. Echó en el tazón unas rebanadas de pan de hogaza y esperó a que la leche y el café se calentaran. Desayunó despacio. Su mirada seguía los movimientos de la cuchara y su vista apenas se levantó del cuenco. Se había acostumbrado a mirar al vacío, protegiéndose de sus pensamientos.

Recogió los cacharros y los dejó en la pila. Decidió no fregar para no mancharse la ropa. Regresó al baño y tomó una polvera metálica. La abrió y frotó su rostro con la almohadilla; luego, se pintó los labios. Se dirigió de nuevo a la habitación y buscó unos pendientes de azabache y plata, que se colgó comprobando en dos ocasiones que el broche quedara ajustado. Dio cuerda al reloj dorado, de correa flexible, y se lo colocó en la muñeca. Se puso el abrigo, acomodó en el bolso un fajo de papeles amarillentos y se dirigió a la salida. Tomó la llave que estaba colgada de un clavo y abrió la puerta. Echó una mirada de despedida a la casa y cerró sin echar la llave, que guardó en el bolsillo.

La mañana era gélida. Había helado y la escarcha punteaba de blanco el suelo bajo sus pies. Notó el cuchillo de la brisa y el denso olor del mar cercano. Nada más salir a la calle, irguió su cuerpo. Miró a los lados y solo vio un par de gatos hambrientos. Caminó calle arriba, en dirección a la parada del autobús. En el trayecto se cruzó con varias personas. No les dirigió siquiera una mirada. Por supuesto, no hubo saludos.

El coche paraba junto a la cruz de piedra, a la entrada del pueblo. Elena esperó temblando, sin pensar en protegerse del frío en el zaguán que los viajeros utilizaban para custodiar sus equipajes y donde los conductores dejaban a veces paquetes o recados. Unos minutos más tarde apareció el autocar. Elena avanzó unos pasos, hasta el borde del camino, y esperó a que el coche se detuviera.

El ruidoso vehículo comenzó a frenar muchos metros antes y se detuvo a poca distancia de la mujer. El cobrador bajó del autocar y saludó a Elena:

—Buenos días, señora.

—Buenos días.

—¿No lleva equipaje?

—No.

Al subir percibió el calor denso de la calefacción de gasóleo y el áspero olor de los pasajeros. A la voz de «¡Vámonos!», el conductor arrancó el coche, que renqueó al principio y dejó de crujir al rato, al ganar velocidad. La mujer se tambaleó mientras se dirigía a los asientos, y encontró un lugar de ventanilla en la cuarta fila. El cobrador, vestido con un raído uniforme azul marino, avanzó por el pasillo. Cuando llegó a la altura de la mujer, ella pidió un billete para la capital. El hombre sacó del bolsillo de la chaqueta un lápiz y un talonario. Escribió el resguardo y pidió:

—Una cincuenta.

Elena tendió un billete y guardó en el bolso las vueltas. Durante el tiempo que duró el viaje, miró por la ventanilla, siempre al horizonte, hacia el punto más lejano que pudieran alcanzar sus ojos.

Por un tiempo, el coche siguió la línea del mar, culebreando por senderos estrechos que comunicaban los pueblos de la costa. Elena, con el rostro tan cerca del cristal que su aliento se condensaba en círculos de vaho, contemplaba cantiles de fondos vertiginosos y pensaba sin emoción que no le importaría que el autocar se precipitara hasta el abismo, allí donde el agua martilleaba sin tregua hasta convertir en guijarros los inmensos canchales. El camino se hizo menos abrupto cuando desapareció la línea de costa y el coche se dirigió hacia el interior, bordeando el cauce del río y atravesando bosques de pinos y carballos salpicados por la desnudez otoñal de pequeñas selvas de fresnos, castaños o avellanos.

El conductor hizo varias paradas antes de llegar a la capital, en las que subieron y bajaron pasajeros que la mujer no miró a la cara. Al llegar a su destino, en la plaza cercana a la estación de tren, todos descendieron y algunos esperaron a que los empleados descargaran sus equipajes. Nada más pisar el suelo, Elena tomó conciencia de la distancia a su aldea y percibió olores diferentes, colores distintos, caras desconocidas. Había agitación en las calles. Se veían coches, motocarros, camiones, personas que empujaban carritos o portaban pesados fardos. Era un universo distinto del suyo y el ajetreo resultaba relajante porque entre el bullicio no era sino una desconocida. Se irguió, comprobó que la falda estaba estirada y echó a andar cruzando la plaza, en dirección a un edificio con una bandera y unas letras metálicas, clavadas en la fachada, en las que se podía leer: «Juzgados».

Consultó su reloj. Marcaba las diez menos veinte y su cita era quince minutos más tarde. Tenía tiempo suficiente y buscó un café. Sentada en un taburete, apoyada en la barra, sintió cómo los hombres la observaban, pero ella no los miró. Solicitó un café solo, café de verdad, y un vaso de agua. Todo era triste. El mostrador de madera se extendía de lado a lado del bar, y la media docena de tazas desportilladas revelaban una penuria antigua. El oscuro, casi negro barniz de las mesas ocultaba una escandalosa vejez. Los recortes de prensa en las paredes y una foto victoriosa mostraban las huellas de la derrota. Pero sobre todo eran tristes las conversaciones, apenas un murmullo sobre la agitación de la calle. Amargo escenario para unos tiempos tristes, pensó. Pagó y salió notando cómo algunas miradas la seguían, aunque ella no volvió la cabeza.

Regresó a los juzgados y subió las escaleras. Se quedó a un lado, fuera de la corriente de personas, casi todas hombres, que entraban o salían. Allí, con el bolso en las manos, contempló el callado deambular de los paseantes. Era como ver una película muda, pero sin gracia. Sobre el gris sucio de los adoquines, unas figuras, grises o negras también, iban y venían con prisa de un lado a otro. Se oían ruidos, apenas voces.

Minutos después, un rostro masculino conocido se dirigió a ella. Se saludaron fríamente; él la tomó del brazo y entraron en el edificio. El hombre se movía con destreza en aquel laberinto preguntando a los ujieres, subiendo escaleras y atravesando pasillos. Ella le seguía dócil, sin decir palabra, atemorizada por los uniformes de guardias y conserjes. Cuando el hombre pareció encontrar el lugar buscado, señaló un banco de madera en un largo pasillo e intentó una conversación:

–¿Está usted tranquila?

–Sí.

–Hoy es posible que nos den el veredicto. He intentado conocerlo, pero no he podido convencer al secretario.

–Por mí no se preocupe.

–De todas formas, todavía podemos presentar un recurso al Gobierno Civil.

–Como quiera.

–Yo he hecho todo lo que he podido.

–Ya lo sé, gracias.

Como otras veces, el hombre se sentía violento con el silencio de la mujer. Era su abogado de oficio y no había conseguido en ningún momento romper la impenetrable barrera que ella había construido a su alrededor. Pese a sus esfuerzos, no había logrado de la mujer ningún otro dato que no estuviera contenido en la investigación oficial. Desistió de su intento, sacó de su cartera un montón de papeles y se puso a consultarlos.

Elena contempló el largo pasillo, las oscuras puertas, el suelo desgastado, el techo sucio... Intentaba, sin mirarlos directamente, ver los rostros que había a su alrededor. En otros bancos se podían contemplar escenas como la que ella protagonizaba: un hombre, bien vestido, asistiendo a otras personas. Casi siempre, el hombre elegante acompañaba a un varón; aunque al final del pasillo se veía a otro abogado junto a una mujer con un niño.

Frente a ella, podía leer un cartel: «Sala de Juzgados. Tribunal número 3». Esperaba, como otras veces, la llamada de un ujier que saldría gritando su nombre: «Elena Gabeiro». Entonces, ella y el abogado pasarían a la sala. Consultó de reojo la hora, procurando que su mirada no coincidiera con la del hombre sentado a su izquierda. Eran las diez y cuarto. A veces, lo sabía, tenía que esperar mucho más tiempo.

Gritaron su nombre a las once menos cinco. Ambos pasaron a la sala, precedidos por un conserje que no les dirigió la mirada. La habitación era alargada, con bancos corridos, situados dejando un pasillo central, y recordaba la capilla de una iglesia destartalada. Al fondo, una gran mesa recorría casi la pared y a sus lados había otras dos más pequeñas, en una de las cuales estaba sentado un hombre, apenas visible tras montañas de carpetas.

Elena y su acompañante se sentaron en el primer banco. La sala, de techos altísimos, estaba helada. A la sensación de frío contribuían otros elementos mortificantes: un retrato infame a la cabecera de la sala, sobre un enorme crucifijo; las angostas ventanas, entre las que se colaba una luz que parecía tuberculosa; la vetustez y severidad de los muebles oficiales; el opresivo silencio en que ella trataba de disimular el castañeteo de sus dientes... Elena conocía ambientes similares y todas las veces tenía una sensación de helor que no sentía siquiera cuando, en el amanecer invernal, salía al puerto a recibir a su hombre.

Minutos más tarde, otro conserje apareció por la puerta del fondo, disimulada en el friso de madera que cubría la pared. Como si intentara acallar el ruido de una multitud, gritó: «¡El señor juez!», y su voz resonó en la sala como un disparo. Elena y su abogado se levantaron, así como el hombre sentado en la mesa. Segundos después entraron, uno a uno, cuatro hombres vestidos con togas negras.

Cuando los recién llegados ocuparon sus asientos, se sentaron primero el funcionario y después Elena y su abogado. Los cuatro hombres hablaron entre sí y, al poco, uno hizo un gesto al secretario, que se levantó a recoger varios papeles. De regreso a su mesa, encendió un pequeño flexo y casi oculto tras las carpetas, con voz cansina, comenzó a leer:

En Pontevedra, a doce de noviembre de mil novecientos cuarenta y dos, en el año sexto del Glorioso Alzamiento Nacional, se da lectura a la causa seguida contra doña Elena Gabeiro Muñoz, natural de Baredo, provincia de Pontevedra, casada con don Pablo Cabañas Fernández, de treinta y dos años de edad, hija de Martín y de Emilia, residente en Nigrán, provincia de Pontevedra. Se sigue esta causa en el Juzgado número tres de la provincia, siendo Juez el Ilustrísimo Señor Luis Casanova de Rica, acompañado por los señores togados Don Marcial Estévez, Don Mariano Santacruz y Don José María del Valle. Este tribunal, constituido de acuerdo con los Principios Fundamentales del Glorioso Movimiento, acusa a la mencionada Elena Gabeiro del delito de parricidio en la persona de su esposo, don Pablo Cabañas, cometido según los indicios en las noches comprendidas entre el trece y el quince de abril de mil novecientos cuarenta y dos, considerando probado...

Elena conocía el informe inicial, que había escuchado ya tres veces. El secretario leía mientras los jueces parecían dormitar y, ocasionalmente, se consultaban o simulaban examinar papeles. Su abogado permanecía en silencio y, como sabía, solo hablaría en caso de que algún juez le preguntara. No se había quitado el abrigo, pero se sentía desnuda ante los cuatro hombres. Ellos parecían saberlo todo de ella, y ella no sabía nada de ellos. Nunca le habían dirigido la palabra. Solo el secretario y, por supuesto, su abogado le habían hablado directamente. Pero no le importaba. Elena pensaba que eran tristes, muy tristes, esos tiempos en los que nadie se miraba a la cara.

El informe considera probado que Elena Gabeiro y Pablo Cabañas habían mantenido una relación ilícita antes de formalizar matrimonio, el 17 de septiembre de 1939.

Era cierto, pensaba. Los dos se conocían de niños. Desde joven, había admirado muchas cosas en Pablo, que era cinco años mayor que ella. Elena no había ido nunca a la escuela. Como única chica de la familia, se había ocupado de cuidar las vacas y de ayudar en las faenas de casa. Cuando comenzó a desvelar el mundo, a los catorce años, descubrió en Pablo a un muchacho fuerte, que había comenzado a trabajar como ayudante en una pequeña imprenta de Vigo. Primero, haciendo recados; luego, como auxiliar del tipógrafo, y más adelante, como tipógrafo. Por sus dedos habían pasado cientos de libros, y de todos ellos Pablo se había quedado algo. Aunque los que más le interesaron siempre eran esos pequeños folletos, de cuarenta y tantas páginas y tamaño octavo, que traían noticias e ideas de Madrid, Barcelona, París o Moscú... Noticias e ideas que hablaban de revolución, de justicia, de libertad, de igualdad, de anarquismo, de federalismo...

A los dieciocho años, Elena tenía la madurez y la juventud de una muchacha preparada para la vida. Él, a los veintitrés, exhibía la arrogancia tolerable de quien se sabe fuerte, vivaz y envidiado. El inicio de la guerra, al comienzo tan lejana, supuso una convulsión en el pueblo. A los pocos meses hubo voluntarios de uno y de otro bando y algunos paseos nocturnos, y muchas familias quedaron diezmadas por la separación o la muerte.

Como otros muchachos de su edad, Pablo se ofreció voluntario para ir al frente. Un día sombrío, Pablo y Elena se despidieron con lágrimas en el andén de la estación, mientras él levantaba el puño por la ventanilla de un tren atestado de jóvenes soldados. Apenas dos meses después, Elena lo recibió en la camilla de un tren sanitario, con un pulmón destrozado por la metralla. Pablo y ella comenzaron a vivir juntos, sin ninguna bendición, en una pequeña casa a las afueras que compraron con los ahorros de él. Elena lo cuidó durante meses, mientras llegaban noticias cada vez más sombrías sobre el curso de los combates y las ventanas del pueblo se cuajaban poco a poco de crespones negros. Elena sirvió como vaquera en una de las brañas cercanas. Poco antes del fin de la guerra, Pablo pudo volver a su trabajo en la imprenta para fabricar los últimos pasquines, que de nada sirvieron frente a las balas del bando enemigo.

Cuando acabó la guerra, fueron denunciados por el cura. Para evitar males mayores y, sobre todo, para no revelar secretos más profundos, se casaron por la iglesia. Fue una ceremonia glacial, a la que asistieron algunas beatas, y en la que tuvieron que soportar con los dientes apretados los reproches y condenas del oficiante.

Elena oía sin escuchar el lejano y monótono recitado del secretario:

Se considera probado que Pablo Cabañas era un individuo pendenciero y maleante. Que en ocasiones había desafiado a las autoridades y había incitado a la población a organizar riñas y hurtos...

Eso no era cierto, se decía la mujer. Las malas lenguas de los poderosos se vengaron de él, terminada la guerra, porque les había reprochado el mantener condiciones feudales en alquileres de fincas, casas y ganados. Los meses de convalecencia habían hecho de su hombre una persona huraña y de salud débil. La muerte de muchos de sus amigos le había sumido en períodos de tristeza y desolación. Y la victoria enemiga, que no había traído la paz, había poblado sus noches de pesadillas y de miedo a que su casa fuera asaltada. Era verdad que Pablo de vez en cuando se emborrachaba y participaba en peleas, pero eran riñas inocentes, de las que se recordaban desde hacía siglos y donde se curtían los hombres. ¡Y no era maleante! Al finalizar la guerra, la imprenta fue asaltada, los dueños huyeron, sus compañeros desaparecieron y Pablo, como otros hombres, hubo de ganarse la vida como pudo. A veces, desde las seis de la mañana hasta las nueve de la noche, cuidando vacas o rastrillando pasto. Otras, robando patatas o manzanas. Pero ello no le convertía en maleante; simplemente, era otra forma de trabajar para sobrevivir. Ella y él.

El informe considera probado que Pablo Cabañas tenía antecedentes penales por contrabando y estraperlo. Que en ocasiones había participado, para su propio beneficio o el de otros, en el transporte de mercancías prohibidas, que le habían sido intervenidas, lo que había originado su estancia en la cárcel durante el tiempo comprendido entre...

Era una verdad a medias. Cierto que dos veces estuvo en la cárcel, acusado de hacer contrabando de tabaco y vender productos intervenidos. Su encierro fue corto, ya que en ninguna ocasión pudieron demostrar qué transportaba. Además, su precaria salud y su respiración sofocada constituían indicios de que no era un individuo peligroso. Pero lo que ellos no sabían, y ella sí, era que durante la guerra, y después de finalizada esta, había porteado armas y municiones a los últimos resistentes de las montañas. Pablo llevaba siempre en la barca sacos de azúcar, o aceite, o café, para ser acusado de estraperlista y no de bandolero. En el primer caso le habrían aplicado varios meses de condena. En el segundo, un juicio sumarísimo, cuando no la ley de fugas. En los últimos momentos, si era descubierto, Pablo arrojaría la carga peligrosa al mar y conservaría la menos comprometedora, si lo consideraba necesario.

De los informes obtenidos de los vecinos, se considera que Elena es una mujer sospechosa de desafección al Glorioso Movimiento Nacional. Que, asimismo, se sospecha que no profesa la Fe Católica con verdadera convicción, y por los informes del cura de la aldea se confirma que asiste escasamente a los oficios religiosos...

¡Eso era cierto! Pablo había enseñado a leer a Elena. Ella recordaba las noches que él estaba en casa, dibujándole paciente las letras a la luz de una vela de sebo. Recordaba también cómo Pablo leía algunas obras de Malatesta, de Kropotkin, de Mella; o le recitaba poemas de un sobado libro, algunos con romanzas heroicas y otros que hablaban de amor. Había otro librito, que cabía en la palma de la mano, con coplas de guerra, que los dos cantaban juntos, quedamente, en la oscuridad. Al comienzo oía sin entender apenas nada, escuchando con atención la voz del hombre. Pero después, poco a poco, aquellas palabras tomaron cuerpo en su mente, hasta formar primero una idea, luego otra, y así hasta construir una pequeña visión del mundo. Las noches en que él no estaba, Elena releía despacio lo escuchado y desentrañaba el misterio de los pequeños libros. En los últimos meses de la guerra, y poco más tarde, ella escuchaba a escondidas las noticias que Pablo y algunos compañeros se intercambiaban en la madrugada. ¡Cómo no iba a ser sospechosa! ¡Cómo se podría dudar de su odio hacia la persona y hacia las ideas que habían llevado a la muerte a tantos hombres y mujeres!

El informe considera probado que Pablo Cabañas, en los últimos tiempos, maltrataba de obra y de palabra a su mujer, lo que había sido corroborado en muchas ocasiones por los vecinos del pueblo.

¡Malditos, mil veces malditos! No era culpa de Pablo. Una noche, la barca de Pablo fue interceptada por la Guardia Civil. Amparado en la oscuridad, apenas tuvo tiempo de enviar al fondo del mar un petate con metralletas y un cajón de municiones. En la barca encontraron varios saquitos con café y azúcar. Lo condenaron a nueve meses de prisión. Durante ese tiempo, Elena trabajó como esclava en algunos castros vecinos, obteniendo apenas lo suficiente para sobrevivir. Él regresó del infierno desnutrido, esquelético y vomitando sangre. Durante seis meses lo cuidó hasta que sus huesos se revistieron de carne y pudo recuperar parte de su belleza. Después, Pablo y ella se dedicaron a rescatar su vida robada. Fueron semanas de amor, en las que Elena le arrancó la promesa de que nunca, nunca más, la dejaría sola. Por ese tiempo, él comenzó a beber. Cierto que algunas noches habían discutido, y que Pablo en esas ocasiones se mostraba hosco e incluso violento, pero de ellos era la culpa. ¿Y qué sabían ellos de sus noches de amor? ¿Qué sabían de sus pequeños regalos, cuando ella, o él, habían conseguido un queso o una gallina, y los traían ocultos bajo la chaqueta o el abrigo? ¿Qué sabían de las tardes en que se acurrucaban delante del fuego, mientras cantaban en un susurro las canciones que habían aprendido años atrás?

El informe considera probado que el 13 de abril de 1942, Eusebio Poveda, alias Sebio, y un desconocido participaron en una operación de bandolerismo, descubierta por la Guardia Civil, que había disparado contra la barcaza, causando la muerte de Sebio, que cayó al mar. Y considera prácticamente probado que el otro ocupante, que había podido huir, era Pablo Cabañas.

Desgraciadamente, había parte de verdad. A pesar de sus promesas, Pablo siguió en contacto con los grupos de resistencia. Sebio había muerto, aunque ella había oído que cayó herido al agua, y que no murió en la mar sino horas más tarde, en el cuartel. Era cierto que Pablo era el segundo ocupante, pero no tenían pruebas. Era verdad que consiguió llegar a la playa y que no había podido deshacerse de la carga, pero desconocían que estaba malherido. No sabían que, con una bala en una pierna, arrastrándose, logró llegar a la casa. Desconocían que ella, después de vendarle, sospechando que le buscaban, le había trasladado a la pocilga de la casa vecina, donde estuvo oculto durante cuarenta y ocho horas.

Entonces llegaron los guardias, registrándolo todo. Buscaron en las habitaciones, en el cobertizo, en el pozo y en el sobrado. Durante horas la sometieron a interrogatorio. Ese tiempo, sufrió no tanto por las vejaciones y las presiones, sino por pensar que él estaría desangrándose en la caseta y podría ser devorado por los cerdos. Al final, desistieron y se fueron. Entonces Elena corrió a su lado. Pablo había perdido mucha sangre y estaba débil. Ella encontró el coraje suficiente para extraer la bala de su pierna con el cuchillo de cocina, desinfectado al fuego. Amparada en la oscuridad, iba y venía al cobertizo para llevarle comida o compresas de agua fría con las que bajar su fiebre.

Eran más de las dos de la madrugada cuando, esa noche, escuchó que alguien pronunciaba su nombre, «Elena, Elena…», buscando a ciegas por los alrededores de la casa. Salió de la cochiquera donde acompañaba a Pablo y reconoció en la negrura a la mujer de Antón. Entre llantos se enteró de que habían detenido al Antón y a cuatro hombres más, camaradas de Pablo. Los tenían en el cuartel y las familias estaban aterrorizadas. No tenían pruebas contra esos hombres, pero si Pablo seguía vivo y hablaba...

Elena comprendió el pánico de la mujer. Imaginó también el espanto de las otras esposas, el llanto de los hijos. La tranquilizó diciéndole que no sabía nada de Pablo, que quizá hubiese muerto en el tiroteo... Cuando llegó a la cocina y vio sobre la mesa el cuchillo y los trapos ensangrentados, comenzó a madurar su plan.

El informe considera probado que las madrugadas del 14 o del 15 de abril, o quizás ambas, se habían producido discusiones en el interior de la casa de Elena y de Pablo. Que, según testimonios de los vecinos, en esa discusión se había podido oír gritar a Elena. Que, según declaraciones de algunos vecinos, en ocasiones oyeron fuertes ruidos, como de golpes. Que, según dijeron, en un momento ella le gritó a él que estaba harta de aquella vida, y que primero ella le iba a matar a él, y que después ella misma se quitaría la vida. Y que, por fin, en alguna ocasión que no era posible precisar, ella había realizado varios viajes a la finca vecina o a la playa, con propósitos que se podían suponer.

Sabía que tarde o temprano volverían a por Pablo; los perros de caza nunca abandonan una pieza herida. Descubrirían que había sido tiroteado, le acusarían de bandolerismo y ello supondría el pelotón de fusilamiento o el garrote. Pero antes... Imaginaba el quebrado cuerpo de su marido sometido al interrogatorio, ese cuerpo que ella había acariciado tantas veces.... Sabía que el único camino para salvarle a él y a sus camaradas era su muerte, la de él.

Cuando volvió al establo, Pablo se encontraba consciente, aunque debilitado por la fiebre y la pérdida de sangre. Ella le besó en los labios resecos y luego se los humedeció y le dio de beber. Aflojó unos segundos el torniquete y un hilo de sangre empapó las vendas. A la luz de la vela, contempló con pavor la tumefacción de la pierna herida. Cambió los apósitos, volvió de nuevo a apretar las ligaduras y susurró a su oído. Juró que estaría siempre con él, que no le dejaría. Le pidió que durmiese. Que, entretanto, en no más de dos horas, ella volvería después de ir a buscar ayuda.

El informe considera un hecho que el 16 de abril, en una visita a la casa de Elena Gabeiro, la Guardia Civil la encontró sentada en la cocina, como en trance, mirando fijamente a la ventana. Que en la mesa se había encontrado un cuchillo ensangrentado y sangre también en diversos paños y en las sábanas de la cama. Que preguntada en varias ocasiones, primero en la casa, luego en el cuartel y luego en el Juzgado si la sangre era de Pablo Cabañas, la mujer había dicho que sí. Que habiéndosele preguntado dónde estaba el nombrado

Pablo Cabañas, ella había dicho que había muerto. Que, a requerimientos de la Guardia Civil primero y de este Juzgado después, acerca de si ella había sido la autora de la muerte, ella había dicho primero que «Puede que sí» y después que «Sí».

Casi todo era cierto. Llegaron a las diez, y la noche había sido muy larga para ella, la más larga de su vida. La encontraron sentada y no quiso responder a sus preguntas. Eran muchos y volvieron a rebuscar en la casa, en el sobrado y en el cobertizo, pero no encontraron a Pablo ni allí, ni en la pocilga, ni en el pozo. Sí le preguntaron por el cuchillo ensangrentado, por los paños enrojecidos, por las manchas de sangre en la cama, por el cristal roto de la cómoda y la ropa rasgada, por los destrozos en la puerta del excusado y por la vajilla despedazada, esparcida por el suelo. No quiso responderles. Recuerda que no pronunció una sola palabra en los siguientes dos días, así que esa parte de la resolución era mentira. ¡No les habló! Ni entonces ni luego…

El informe concluía que

de resultas de los análisis forenses, se pudo demostrar que la sangre encontrada era humana, y probablemente del supuestamente fallecido Pablo Cabañas. Que, por ello, se han instruido diligencias acusatorias contra la citada Elena Gabeiro, allí presente y representada de oficio por don Manuel Martínez. Pero que, a pesar

*de las pesquisas de la Guardia Civil y de los
agentes judiciales, no ha sido posible encontrar
el cadáver de Pablo Cabañas.*

*Por lo anterior, es decisión de este tribunal, ya
que no se ha podido demostrar la culpabilidad
de la citada Elena Gabeiro en la muerte de su
marido, Pablo Cabañas, retirar la acusación
de parricidio en primer grado. Pero que, dada
la sospechosa conducta de la acusada, el de-
mostrado escándalo público de la pareja y la
presunta complicidad de la acusada con las
actividades de su marido, se la condena al destierro a una distancia no menor de cien kilómetros durante diez años. Y que, a fin de arre-
glar los asuntos materiales necesarios, se concede
a la citada Elena Gabeiro un máximo de diez
días para el abandono definitivo de la locali-
dad. Apercibiéndosele que, de incumplir estas
condiciones, será internada durante el tiempo
de cinco años en una cárcel para mujeres. Lo que
este Tribunal comunica...*

Tras la lectura, los magistrados despertaron de
su letargo y se movieron en sus escaños tratando
de recuperar la perdida dignidad. El juez pre-
guntó a la acusada si tenía algo que decir, y la
mujer negó con la cabeza. El abogado se puso
en pie y respondió «No, señoría». Entonces, el
juez se levantó, seguido por los otros togados y
el secretario. El resto de la escena había sido ya
presenciado por Elena. Los seis respondieron con
un gesto marcial y la mano en alto a una con-

signa del secretario, y todos, menos la mujer y su abogado, abandonaron la sala.

El hombre esperaba ver la alegría en la cara de Elena. Era la mejor sentencia que cabía esperar, dados los tiempos, y se sentía satisfecho. Pero la conversación que siguió le convenció de que un terrible amargor se escondía en el corazón helado de la mujer:

—Creo que el resultado ha sido bueno. Está usted libre y puede comenzar su vida de nuevo.

—Sí, comenzaré de nuevo.

—¿No está contenta?

—No lo sé... ¿Le debo algo?

—Nada, todo está bien.

—Gracias. Adiós.

—Adiós. Suerte, señora.

Ninguno tendió la mano. Mientras Elena y el abogado bajaban las escaleras, las campanadas de una torre anunciaron el ángelus y durante un par de minutos la vida pareció interrumpirse. Algunos funcionarios salieron de sus despachos y permanecieron en los umbrales de pie, en un gesto devoto que no les impediría poco después seguir administrando venganza. Cínicos, pensó ella mientras los observaba, sin atreverse a dar un paso. Al acabar aquel rezo, la vida y la muerte volvieron a latir y Elena salió del edificio, reconfortada por respirar un aire limpio. Vagó aturdida por la ciudad durante tres horas, esperando el autocar de regreso. No se imaginaba aquella sentencia. Siempre creyó que la condenarían por el asesinato de Pablo, ya que se había acusado de ello. Por eso, al verse libre, no supo qué hacer con su vida. Cuando llegó a casa, no recordaba nada del viaje de vuelta. Ni siquiera el contacto con sus habitaciones y sus recuerdos la sacó del estado de atonía en que se encontraba.

No necesitaba diez días. No importaban la casa, los animales, los muebles ni las ropas. Bajó del armario una pequeña maleta de cartón, atada con un cinturón de cuero, y metió en ella un paquete de cartas, un poco de ropa, algunos enseres personales y dos libros sobados, que rescató de debajo del colchón.

Dejó que cayese la tarde y aguardó todavía más hasta que se apagaran las luces de la aldea, para salir sin ser vista. Luego, tomó la maleta y se dirigió hacia los cantiles sin cerrar la puerta.

En su monótono caminar, evocó aquella noche de abril. Llevaba casi cincuenta horas sin dormir, tensa por las visitas de los guardias durante el día, cuidando las heridas de Pablo y velando su sueño por la noche. Tras la visita de la esposa de Antón, supo que todo estaba perdido. Era incluso posible que, por intentar salvar al marido, la mujer acabara por hablar de las extrañas horas a las que Elena atendía a los cerdos, en esos tiempos lóbregos en los que el terror hacía tan comprensible la denuncia como la desmemoria. Elena tuvo la certeza de que tenía poco tiempo para impedir que aquellos malnacidos descubriesen a Pablo. ¡Estaba dispuesta a sustraerles tanto la muerte como el motivo! No les daría ocasión a que deshonrasen su cuerpo muerto ni a que profanasen su cuerpo vivo.

Dejó a Pablo dormido, tras pedirle un par de horas para ir a buscar ayuda. Salió de la casa y no tuvo que caminar mucho. Pese a que era de noche, supo dónde buscar y encontró lo que buscaba. No en vano había pasado la vida con los animales y sabía que ni las bestias se acercaban a aquellas plantas de hojas amarillas, acampanadas, que olían a muerte. Arrancó de la tierra media docena, comprobando que los bulbos estuvieran intactos. Por el camino a casa, tratando de que las piernas no se quebraran por el dolor, fue arrancando los tallos con los dientes, para quedarse solo con las raíces. Ya en casa, lavó con esmero los tubérculos terrosos y comenzó a cortarlos en ínfimos trozos. Como ocurría con la cebolla, los aromas desprendidos de esa ponzoña irritaban sus ojos y le hacían llorar, aunque no era tiempo todavía, pensaba, para dejarse ahogar por las lágrimas. Cuando las raíces fueron reducidas a polvo, lo mezcló en un tazón con miel y cuajada.

Volvió con Pablo y llevó consigo las tres velas que quedaban en la casa. Las prendió y le despertó besando sus párpados. Comprobó que las vendas se habían empapado aún más y, a la luz vibrante, vio sus ojos turbios. Al acercarle la primera cucharada a la boca, él se resistió, pero ella le convenció de que debía comer porque ambos debían hacer un largo viaje. Amorosamente, fue dándole pequeñas porciones de aquel brebaje, mitad dulce, mitad amargo, mientras le hablaba de lejanos tiempos y lograba hacerle esbozar una sonrisa. Elena estuvo tentada de compartir con él aquella cena, pero se dijo que cuando todo hubiera acabado todavía había cosas que tenían que hacerse, y que solo ella podría hacer.

Todo fue lento y dulce. Pablo solo sintió un par de espasmos, y fueron leves, a saber si por el dolor de la herida o por el veneno. No había acabado el tazón cuando se adormiló de nuevo. Elena volvió a besarle y acarició su cuerpo con las yemas de los dedos, tratando de guardar en su memoria el distinto tacto de su piel, fundiéndolo con los recuerdos de cuando ambos eran niños. Cuando comprobó que él había entrado en un sueño sereno, aflojó el vendaje y vio cómo la sangre se extendía suave por las telas. Se tumbó a su lado, lo abrazó por el cuello y abrió un libro. Leyó para él mientras la vida se le iba gota a gota.

Aún faltaba para el alba. Cuando dejó de leer, porque solo ella podía escuchar sus palabras, se incorporó y, de rodillas, besó el rostro de Pablo, sus manos, su cuello. Regresó a la casa y volvió con la sábana que un día recibiera los sudores de su primera noche de amor. Envolvió en ella el cuerpo y no se sabe de dónde extrajo fuerzas para cargarlo al hombro. Lo llevó hacia los acantilados y, a punto de caer mil veces por el abismo, logró alcanzar una pequeña cueva, donde depositó el cadáver, prometiéndole que regresaría a buscarlo en cuanto pudiera. No derramó una lágrima ni siquiera cuando se dedicó a destrozar, entre gritos, los enseres de la casa, fingiendo una disputa que pudiera ser oída por los vecinos.

Camino del destierro, cargada con la maleta, bajo las escondidas estrellas, Elena recorrió la senda que tantas noches había paseado durante los últimos meses. Ascendió hasta una loma, a contemplar por última vez el luto de aquel mar. A pocos metros del precipicio estaba la tumba que, cinco noches más tarde de la muerte de Pablo, cavaron para él sus camaradas, que le despidieron con un responso civil, y donde ella depositó un libro de poemas. Recordó la llegada de los guardias, la acusación de asesinato que primero no negó y que más tarde asumió para proteger a sus compañeros. Y luego, la terrible soledad de sus noches, el espeso silencio que se tejió a su alrededor, la vaciedad con que había transcurrido el mes de prisión preventiva, el miedo al veredicto…

A tientas, sacó de la maleta los dos libros. En cuanto volviera la luz, leería de nuevo junto a él, pero ahora para despedirse. Permaneció horas en el borde de la escarpadura, la mirada fija en la borrada línea del horizonte, apenas a dos pasos de la tumba. Abrigada, pero yerta de frío, su silueta se recortaba como parte de la roca en la oscuridad de la noche, con sus sentimientos mecidos por el monótono ruido del mar.. Próximo el amanecer, caminó con calma hacia el borde del precipicio y arrojó la maleta al abismo.

Mientras la oía caer, como si despertase de un sueño viejo, comprendió que tenía que romper la frialdad de roca de su corazón y seguir viviendo, para conservar viva la memoria de Pablo. Leyó unos versos y emprendió camino lejos del mar, hacia cualquier parte.

VII.

¿Sobre qué huellas reales se construye la ficción? ¿Y a través de qué elementos ficticios podemos imaginar la realidad? ¿Existieron de verdad Pablo y Elena, aunque sus nombres fueran fingidos? ¿Fue este un episodio secundario en el trasfondo del contrabando y tráfico de armas hacia los maquis, después de la guerra? ¿Habría tribunales que aminorasen o conmutasen la pena de un reo, tras delatar o asesinar a sus camaradas? ¿Cuáles son los límites de un escritor a la hora de construir una historia? ¿Puede la ficción ser más poderosa que la realidad, o es al revés?

No conozco las respuestas.

25 de enero de 1948

Sr. D. Gaspar Baraona
Agregado Cultural de Brasil en España
Embajada de Brasil.

Señor Doctor:

¡No imagina usted la conmoción que sentí al recibir
la fotografía que usted me envió! Sí, el hombre que
aparece en ella es mi marido. Como le expliqué en
mis anteriores cartas, sus últimas pistas se perdieron en Oporto hace ya varios años, y parece que
entonces tenía la intención de viajar a América.

Comprenderá usted que en España es muy difícil recibir correo, pero en cuanto reciba noticias suyas,
no sé cómo, haré el viaje hasta Brasil. Es imposible que él venga hasta aquí y, además, nada me ata
ya a estas tierras.

No he escrito a la madre de Pablo. La mujer es muy
mayor y creo que haré pronto un viaje al pueblo
para darle personalmente la buena noticia. Es seguro que ella le enviará a usted sus bendiciones.

Con esta carta le envío unas cuartillas. En ellas
cuento todo lo que ocurrió con mi marido, aunque
probablemente haya cosas que a ustd no le interes-
sen mucho. Ahora comprenderá por qué guardé silencio durante estos años sobre lo que de verdad suce-

dió y por qué he seguido buscando a Pablo. En cuanto salga de viaje, haga usted con ellas lo que con-
sidere oportuno.

Reciba mi consideración y eterno agradecimiento.
Haga llegar a mi esposo, por favor, la carta que le
acompaño con esta historia. Espero pronto noticias
suyas.

7. EL MAR

================

Sobran diez días de los diez para el destierro.
No hay más que preparar una maleta
con tres o cuatro cosas:
un atado de libros escondidos
debajo de un colchón, sus pobres ropas,
alguna dirección y unos pocos testimonios
de tardes consumidas con pasión.
Echa el postigo
tan solo para que no se dilapide
la huella inolvidable de su aliento.
No mira atrás, ni se despide de una casa
poblada de rincones sembrados con lamentos.

Camino de la playa,
entona una vez más su monótona oración.
Ay, amor,
si nunca volvieras a mi lado,
descendería de un salto la altura de la escarpa,
me prendería entre las hojas de la higuera,
caminaría el fondo del mar...
Ay, amor, si nunca regresaras
entonaría mi última canción al lado de las rocas,
me dejaría morder por las gaviotas,
me haría liviana ante el viento enfurecido,
convocaría al rayo con mi voz...

Camino de la playa
evoca como otras noches la medianoche
del dieciséis de abril,
la oscuridad sin luna,
el vaivén lento de espumas,
la humedad empalagosa de la sal.
El cuerpo de él, cargado sobre su hombro,
sus protestas de amor:
—No quiero alejarme de tu lado...
Sus voces de consuelo:
—Siempre estarás conmigo, amor...
La última vez que soportó su cuerpo encima
lacera su memoria como un dulce aguijón.

Sentada entre las rocas
recuerda la medianoche del dieciséis de abril,
arrastrando la barca entre las algas
hacia el abierto mar,
remando penosamente, explicando a Pablo
el destino en que aguardan camaradas.
Los besos de despedida
antes de arrojarse de la barca,
sus esfuerzos por llegar de nuevo hasta la playa,
los empeños de su hombre por alejarse,
la mirada de angustia antes de perderlo.
Desde entonces, un tiempo infinito en soledad.

Sentada entre las rocas
recuerda el amanecer del dieciséis.
La discusión fingida, los crujidos
de las cosas estrelladas,
el amargor de la rabia y del coraje,
las huellas de sangre esparcidas por la cama,
la espera meditada,
la visita de las guardias, la temible confesión.
La decisión
de declararse culpable de una muerte
a través de su mano apasionada.

Mujer mirando al mar
evoca como otras noches la voz cálida de su hombre
en atrasadas madrugadas,
diciendo
lo de siempre:
—Caminaré otro día para ti, degustaré tu miel,
estaré siempre a tu lado
aunque el mundo se obstine en separarnos,
te traeré la luna entre mis labios,
me abrasaré en tu piel...

Mujer mirando al mar
se duele del silencio persistente de las olas
del vacío de la noche, de la orfandad dolorosa
del camino.

Esperará en otras playas, montes o ribazos

a que su hombre vuelva hasta su lado.

Y llora como otras veces su monótona plegaria.

Ay, amor, si nunca regresaras...

==

días de los diez para el destierro.

que preparar una maleta

cuatro cosas:

le libros escondidos

un colchón, sus pobres ropas,

irección y unos pocos testimonios

es consumidas con pasión.

postigo

lo para que no se dilapide

ella inolvidable de su aliento.

ra atrás, ni se despide de una casa

ada de rincones sembrados con lamentos.

ino de la playa,

tona una vez más su monótona oración.

y, amor,

si nunca volvieras a mi lado,

descendería de un salto la altura de la escarpa,

me prendería entre las hojas de la higuera,

caminaría el fondo del mar...

Ay, amor, si nunca regresaras

entonaría mi última canción al lado de las rocas,

me dejaría morder por las gaviotas,

me haría liviana ante el viento enfurecido,

convocaría al rayo con mi voz...

vencijada, la cómoda a

esqueleto de la percha que contiene las fundas de u

desganado por vivir.

El vaho de los cristales

enmascara la fría luz de un j

porque es jueves ya, y e

ves.

tancia tiene que lo

jueves no se jueg

jueves,

uente

cenario

Presamos

un jueves de

ovecientos cuarenta y

pliquemos también,

por nombrar el decorado moblia

del paisaje,

que la casa está fría y desolada por

que, afuera, las pisadas comienzan a h

nieve;

que, más lejos, el mar se ahoga entre la n

y que noviembre se disfraza de enero,

o de febrero,

meses terribles en los que

hace dura amarga

dolo